Anónimo / Lazarillo de Tormes

COLECCIÓN AUSTRAL
Nº 156

ANÓNIMO

LAZARILLO DE TORMES

PREFACIO DE
GREGORIO MARAÑÓN

DECIMOCTAVA EDICIÓN

ESPASA-CALPE ARGENTINA, S.A.
BUENOS AIRES

Ediciones populares para la
COLECCIÓN AUSTRAL

Primera edición:	5 - XI	-1940
Segunda edición:	16 - XI	-1942
Tercera edición:	15 - VII	-1943
Cuarta edición:	11 - X	-1943
Quinta edición:	15 - I	-1946
Sexta edición:	21 - VI	-1948
Séptima edición:	30 - XI	-1948
Octava edición:	26 - II	-1952
Novena edición:	20 - I	-1955
Décima edición:	22 - I	-1958
Undécima edición:	12 - IV	-1960
Duodécima edición:	20 - IX	-1961
Decimotercera edición:	15 - I	-1964
Decimocuarta edición:	14 - XII	-1965
Decimoquinta edición:	11 - III	-1966
Decimosexta edición:	14 - III	-1969
Decimoséptima edición:	14 - VI	-1969
Decimoctava edición:	7 - VII	-1971

IMPRESO EN LA ARGENTINA
PRINTED IN ARGENTINE

Se terminó de imprimir el 7 de julio de 1971

Industria Gráfica Argentina S.A.C.I.F. - Santos Lugares, Alianza - T. E. 757-0298

ÍNDICE

PREFACIO

I

Mientras el navío corre hacia la Europa turbulenta y eterna he releído LA VIDA DE LAZARILLO DE TORMES. Ahora veo a España como nunca la he visto. Ya no vivo hundido en su propia existencia caliente, y a veces calenturienta, incansablemente generadora; sino que, desde fuera, desde una distancia sentimental mucho mayor que la del número de leguas que me separan de ella, contemplo su presente como si fuera historia pasada; y su pasado como si fuera un sueño. Un extraño fenómeno surge ante esta nueva visión. Cosas que antaño, cuando estaba allí, me parecían naturales, aparecen hoy a mis ojos como tocadas de insensatez; y otras, que no comprendía, las veo ahora claras como a través de un cristal inmaculado. Y, a favor de esta mutación de mi punto de vista, me divierte leer de nuevo *volúmenes antiguamente leídos. Acaso sea en este experimento donde con nitidez más grande se revea aquella transformación de mi espíritu. Repentinamente he encontrado el sentido de libros que siempre me enojaron o me aburrieron; y otros, que eran delicia de mi vagar o alivio de mis preocupaciones, sin saber por qué se me caen ahora de las manos.*

¿Y el LAZARILLO DE TORMES? *Pero antes de hablar de él tengo que decir una de esas cosas, intrascendentes pero socialmente escandalosas, que, por ello, sólo se declaran en el umbral de la muerte o en esa situación, ya un tanto extraterrena, que es el vivir expatriado. Esa cosa es que he sentido siempre una antipatía profunda por la novela picaresca. Si lo hubiese dicho al examinarme de Historia de la Literatura en el Instituto, me hubieran suspendido. Pero ahora lo puedo decir. Y, desde luego, entre esa antipatía incluyo a una de sus piezas magistrales, que es* LA VIDA DE LAZARILLO DE TORMES.

II

*Es inútil que advierta que mi actitud no se
funda en motivos literarios. Literariamente, sé
que muchas de las novelas de la picaresca española son maravillosas. El* LAZARILLO *sin duda lo
es; y a mí, como a cualquier lector me lo parece.
Es más, no puedo imaginarme por qué algunos
críticos, extranjeros y españoles, consideran la
prosa de este libro como deslavazada y vulgar,
hasta el punto de suponer, ciertos de ellos, que el
autor de la novela pudo ser un hombre de no mucha más alta condición social que la del mismo
truhán, criado de ciegos, de presbíteros roñosos,
de escuderos famélicos y de anunciadores de
bulas, que representa, en la novela, el papel de
protagonista. Sólo una mente alejada por la eru-
dición de la realidad puede imaginar que las
aventuras de* LÁZARO, *el gran bellaco, sean auto-
biográficas. El crítico de la edición en que ahora
releo el famoso libro, Cejador, no cree en esta
condición plebeya del novelista; pero está de
acuerdo en lo de la imperfección literaria del po-
pular relato. "El* LAZARILLO *—escribe—, donde
la «y» tanto se menudea y donde no hay un solo
período bien rodeado", etcétera.*

*¿A qué llamarán los "eruditos" rodear un pe-
ríodo?, nos preguntamos los lectores de la calle.*

*Abramos el volumen al azar y copiemos algunos
de sus períodos:*

*"Y en eso, yo siempre le llevaba (al ciego) por
los peores caminos y adrede, para hacerle mal
daño: si había piedras, por ellas; si lodo, por lo
más alto. Que aunque yo no iba por lo más enjuto,
holgábame a mí de quebrar un ojo por quebrar
dos al que ninguno tenía. Con esto, siempre
con el cabo alto del tiento, me atentaba el colodrillo, el cual siempre traía lleno de tolondrones
y pelado de sus manos. Y aunque yo juraba no
hacerlo con malicia, sino por no hallar mejor
camino, no me aprovechaba ni me creía: tal era
el sentido y el grandísimo entendimiento del
traidor."*

*Por esta página, repito, se ha abierto el libro
al azar; pero las demás son iguales. Todas, aun
las que refieren sucesos más villanos, aun las que
parecen escritas más a la ligera, denotan al mismo
escritor excelente; sobre todo, porque sin darse
cuenta "rodea" el período. Cierto que lo hace sin
afectación y con el donaire de las cosas escritas
como si las estuviera conversando, a la ligera y al
pasar; pero esto no es más que puro mérito del
escritor de raza, aunque algunos académicos en-
cuentren motivo para sus melindres filológicos,
que, en verdad, son más fáciles de tener que de
tener gracia para escribir. Igual que del autor del
LAZARILLO han dicho los dómines de la lengua de
los más altos escritores castellanos, empezando
por aquel que se llamaba don Miguel de Cervantes*

y Saavedra. *Entienden los tales por descuido el
viento de la calle que despeina un tanto el len-
guaje, como el cabello de los que gustan sentir el
aire libre en la cabeza. Pero, a la vez, el viento
le tonifica y le inyecta la savia creadora del pueblo, artífice supremo del idioma.*

Mis peros al Lazarillo *y, en general, a la literatura picaresca, son, pues, de otro orden. Se
basan en su profunda inmoralidad, en su pesimismo, en su sentido despectivo de lo español.*

III

La inmoralidad de la novela picaresca no se refiere a ciertos episodios atrevidos —además no excesivamente crudos— del orden del amor y la barraganía. Esto nunca daña, ni siquiera a los adolescentes en flor. Son cosas que, al fin, hay que saber y que no perturban la conducta más que a aquellos que la tienen, de nacimiento, lastimada. En cualquier romancillo de los muchos y maravillosos que se recitaban ante las reinas y las infantas pudibundas, y que jamás han merecido la censura de nadie, se habla del amor con más libertad y con emoción más cálida que en las aventuras de los malandrines de la picaresca.

Lo pésimo de esta literatura estriba en el hecho de vestir las fechorías sociales —el robo, el engaño, la informalidad ante la palabra, el mismo crimen— de una gracia tan sutil que todo lo atenúa y que acaba por justificarlo todo. Es evidente que se puede ser bellaco con un cierto primor, que invita a perdonar la bellaquería. Pero en la novela picaresca el bellaco es algo más que un sinvergüenza simpático: es siempre el protagonista inteligente, hábil, ingenioso, ante el cual todos los obstáculos se esfuman; en suma, el héroe.

Siempre ha existido esta tendencia del arte a
disculpar a un cierto tipo de seres inmorales o de
facinerosos. Es una de las miserias, sobredoradas
de gloria, del arte. Recordemos sólo la literatura
romántica —más aun que la española, la extran-
jera—, que hizo de nuestros bandidos serranos
una suerte de modernos caballeros andantes. Hoy
mismo las gentes se quejan, con razón, de la categoría heroica que las novelas policíacas y el cine-
matógrafo dan al prototipo del moderno malhe-
chor, al "gangster". Pero hay una diferencia:
nuestro José María, el bandido de las breñas an-
daluzas, al que venían los pintores ingleses a
retratar con riesgos de su vida; o Luis Candelas,
el estafador lleno de salero madrileño, acababan
su vida —a pesar de las simpatías cosechadas— en
la horca o derribados por un balazo de la Guardia
Civil. En tanto que el pícaro de nuestro siglo de
oro acaba invariablemente siendo un gran personaje; a fuerza de inteligencia y de cinismo les
gana la partida a las gentes medias, honradas y,
claro es que no rara vez, un tanto estúpidas. La
moraleja en la historia de nuestros pícaros es, por
lo tanto, peor que su misma vida aventurera y
licenciosa.

La popularidad de las novelas picarescas fue
extraordinaria. Del LAZARILLO dice el mismo Cejador que se difundió "con tan buena estrella y
general aplauso cual no se recordaba de otro libro
alguno desde que se publicó La Celestina, ni ha-

bía algún otro de sonarse hasta que Guzmanillo y
Don Quijote *vinieron al mundo"*. *Fue el* Lazarillo, *sin duda, "la más famosa obra de ingenio"*
en tiempo del Emperador. En este y otros manua-
les parecidos aprendían aventureros, malandrines
y gallofos, no sus artes, que éstas necesitan de es-
cuela práctica, pero sí algo peor, que era la glori-
ficación ingeniosa de sus fechorías y, por lo tanto,
el arte de hacerlas simpáticas. La infección se ex-
tendió por todas las capas sociales, pues no en
vano los tales libros se encontraban no sólo en los
bolsillos agujereados de las gentes de mal vivir,
sino *"en la recámara de los señores, en el estrado
de las damas y en el bufete de los letrados"*. El alguacil y escribano, que competían en picardía con
los propios granujas; y el noble, jugador, tram-
poso y truhán; y la gran señora, hipócrita y livia-
na; todas estas gentes —sepulcros blanqueados
por fuera— que aparecen en el primer término del
escenario español durante los tiempos de la gran
gloria estatal, era, en efecto, en esas páginas, tan
divertidas y tan venenosas, donde aprendían su
lección.

Allí aprendió la suya el gran Quevedo, ejemplo insigne de todas las excelsitudes del pensamiento, pero, ¡ay!, también de esa secta, no exclu-
siva de España, pero en España singularmente
poderosa, del literato ilustre que, por serlo, se cree
dispensado de las normas del respeto y de la medida sociales, que a los demás ciudadanos altos y
bajos se nos exigen, con razón, como contribución

indispensable a la posibilidad de la vida en común. Esta especie no se interrumpe desde el gran
don Francisco, pasando por Torres de Villarroel
—un tahur a quien su gracia sirvió de pabellón
para las más innobles aventuras—, hasta nuestros
días, en los que todavía es fácil encontrar nume-
rosos ejemplos de vidas de pícaros y escenas dig-
nas del patio de Monipodio en cualquier tertulia
literaria, de redacción o de café.

IV

Además de este su sentido radicalmente inmoral, la picaresca tuvo una influencia pesimista lamentable en el alma española. El triunfo de lo que no es justo produce siempre una impresión depresiva en la sociedad. La misma alegría del bellaco triunfador es tan falsa y tan fugaz como la del borracho. De momento, nos divierte, también, ver u oír los disparates ingeniosos de un hombre embriagado; pero en seguida se produce una reacción de mal humor. Nada entristece a un hombre sano como el volver del espectáculo de una juerga divertida. ¿De qué sirve —se pregunta el espíritu sencillo— la sana alegría de la conciencia recta, comprada quizá con heroicos esfuerzos, si esos hombres en torno de una mesa llena de botellas enloquecen de risa y de buen humor, y divierten de tal modo a los demás? De la misma manera, si el pícaro acaba en personaje, ¿para qué —se pregunta ese mismo varón simple—, para qué seguir la senda recta y dura?

La ola pesimista que invadía a España desde el siglo XVI, cuando todavía era el mayor Imperio del mundo, no se había engendrado, ciertamente, en razones de política, porque el porvenir de la vida nacional aparecía aún como un camino

*llano que se trifurcaba en las direcciones univer-
sales, sin obstáculos a la vista: hacia Europa,
hacia África y hacia las Indias de allende los
mares. Donde se engendró fue en el espectáculo
de la vida interior del país, en la que* LAZARILLO,
*después de arrastrar su existencia por todos los
arroyos del cinismo, asistía, como gran personaje, "en la cumbre de toda fortuna", al triunfo del
Emperador en la corte del universo, en la insigne
ciudad de Toledo. Y como él, otros muchos, de su
misma calaña, gozaban de tan lucida carrera social.*

*Aún no se había escrito la historia inmortal de
Don Quijote, vapuleado por los jayanes y escarne-
cido por los duques. Pero el quijotismo, que había
creado la gran España, empezaba a amustiarse en
el alma de los españoles representativos, asfixiado
por el incienso que rodeaba a* LAZARILLO.

V

Pero, sobre todo, empaña mis entusiasmos hacia la picaresca el influjo indudable que esta literatura ha tenido en la depresión de los valores fundamentales —claro es que hablo de los morales— de España. De los pecados que antes he señalado —la inmoralidad y el pesimismo— podrían excluirse algunos de estos libros, escritos por espíritus generosos, porque, en ellos, la pintura de la hez social conduce a nobles conclusiones éticas: tal Cervantes, que precisamente titula Novelas Ejemplares *a las más hermosas y más realistas páginas que se hayan escrito sobre la vida de los pícaros españoles. "Ejemplares" son porque, en efecto, de su pintura sólo trasciende al lector, al lado de la emoción literaria incomparable, un sentimiento de bondad y de optimismo, y una moraleja llena de cándida pero piadosa victoria de la justicia y de la bondad sobre el mal.*

Mas aun esta picaresca "ejemplar" ha servido de argumento, como todo el resto del género, a una de las actitudes más injustas del pensamiento universal frente a España. A fuerza de leer estos libros, y de no leer otros, se ha ido formando la idea de que toda la gran España de la epopeya fue una España picaresca. Naturalmente, se conocen los otros héroes de esta España; pero aun ellos aparecen, muchas veces, teñidos de una sombra de gallofería. Basta leer los relatos de los viajeros que desde todos los lugares de la tierra acudían a España —lectura a la que soy especialmente dado— para convencerse de que el observador trasponía los puertos fronterizos, o pisaba las playas de la Península, con la retina deformada ya por un previo patrón de lo español; patrón pintoresco, divertido, pero lleno de pobretería, que afectaba, más aun que al bolsillo, a la conciencia. Cierto que en estos relatos —y también en las solemnes historias, inspiradas, muchas veces, como los simples diarios de los viajeros, en anécdotas— se habla también de la hidalguía, del heroísmo y de otras virtudes del español. Pero, por lo común, hasta estas virtudes aparecen mezcladas, ante el ojo del extranjero, con aquellos defectos; casi como si fueran la misma cosa. No en vano nuestro país —"el país de lo imprevisto", como le llamó un inglés que lo conocía a las mil maravillas— ha dado a luz al más imprevisto de todos los productos sociales, al "bandido generoso", mixtura de hidalgo y de pícaro en proporciones equivalentes.

Inútil es agregar que al lado de estas visiones tenebrosas de muchos de los espectadores de España hay otras que, por el contrario, muestran incontenida afición, inacabable indulgencia o desmesurado entusiasmo por nuestra patria.

En otro lugar he dicho que el extranjero contempla invariablemente a España no con su retina natural, sino puestas ante los ojos unas gafas que son ya de color negro, ya de color rosa. No hay que decir que las de color negro están teñidas en la tinta de nuestra literatura picaresca. A la mayoría de estos viajeros se les podría adivinar cuál era el libro español que, como guía, traían en las alforjas; y muchas veces este libro no era otro que el LAZARILLO. *A esos hostiles o a esos pecaminosamente superficiales peregrinos son achacables las protestas que suscitaba la lectura de muchos viajes por España al grande, al ecuánime Balmes, gloria de la mentalidad hispánica, al que alaban mucho, pero al que, por desdicha, apenas leen mis compatriotas; unos, los de la izquierda, porque les irrita su serena ortodoxia eclesiástica; y otros, los de la derecha, porque casi todas sus páginas son un sermón contra su intransigencia.*

Mas fuera injusto achacar esta visión y pintura lúgubre de la vida española tan sólo a los comentaristas extranjeros. Tanto como ellos han contribuido algunos españoles; y por eso he escrito antes adrede que se trata de "una visión universal" del panorama español. Uno de los libros más antipáticos aparecidos estos últimos años sobre España está escrito por un extranjero quevedista. Cuando yo le decía que España no es así, me respondía: "No hay una sola línea de mi texto que no esté apoyada en una cita de Quevedo." Y tenía razón. Desde que existe España como nación,

muchos de nuestros artistas han propendido a
una complacencia morbosa para escribir o pintar,
con tremendo, indisimulado verismo, no la realidad española —que está, como todas las realida-
des, hecha de claroscuro—, sino la parte tenebrosa
de esa realidad. Cuando se habla de España como
de un país atroz, hay, pues, en cada momento y
para cada caso, autoridades específicamente españolas en que apoyar la pincelada sombría. De
esas autoridades, las más altas son las de los mag-
níficos escritores de la picaresca.

VI

Sería muy prolijo meditar de dónde le viene al ingenio español esa tendencia a engolfar su arte en la copia, casi en la exaltación, de lo que hay de sombrío en la realidad que le circunda; tendencia cuyas dos expresiones típicas son la literatura picaresca, que estamos comentando, y la pasión, común a casi todos nuestros grandes pintores, de elegir como temas de su pincel cuanto hay en España de áspero, de deforme o de macabro.

Probablemente estamos ante un caso de desviación patológica del ascetismo ibérico. Era el español asceta, desde antes de ser cristiano —desde antes de Séneca—, por su natural estoico. El español no es, como suele decirse, triste; pero su alegría es una "alegría seria" —y no es paradoja—; una alegría que le sale directamente del alma, o bien del goce puro de las cosas externas, las grandes, las elementales, las eternas, que llegan al alma sin recrearse más que lo indispensable en los sentidos; y ese contacto con el alma da a todo, hasta a la alegría, una inconfundible seriedad. La alegría ruidosa, jocunda, de otros pueblos, como los del centro de Europa, nace de la necesidad de sustituir la falta de la severa alegría ascética por el regodeo de los sentidos. Probable-

mente, más que cuestión de raza es cuestión de geografía. La vida en el escenario de la naturaleza infinita como la de nuestras tierras, naturaleza un tanto dura en el detalle, pero de inmensidad profunda, propende espontáneamente al ascetismo. La existencia transcurre entre nosotros, casi las veinticuatro horas del día, ensimismada en plena naturaleza; y, por lo tanto, en relación con Dios. La casa es sólo un refugio para los días de lluvia, que son muy pocos al año. Así viven el hombre y la mujer hispánicos; y también muchos de los de su raza, como el gaucho de América; Martín Fierro, por ejemplo, es un asceta más, asendereado a fuerza de rodar por la Pampa. La alegría sensual, centroeuropea, nace, por el contrario, del paisaje limitado —limitado se entiende en profundidad— y de la necesidad de una vivienda excelente, caldeada, cómoda, en la que por la noche sus habitantes pueden desnudarse para meterse en la cama, y en la que la despensa pingüe adquiere categoría principal.

El asceta aprendía no sólo a tolerar sino a amar aquello que no es agradable. Es ésta una de las fuentes, inexcusable, de su alegría seria, alimentada no de los arroyos que saltan por la superficie, sino de hondas venas subterráneas. Y, en consecuencia, el asceta propende a convertir ese amor de generosidad hacia lo pobre y lo deforme, que nace de la tolerancia cordial y caritativa, en amor preferente o exclusivo. Está bien esto como norma de religión, pero no de estética.

En el fondo, yo he visto una inmensa caridad, antes que ninguna otra cosa, un inmenso sentido de liberalismo cristiano, en Velázquez, cuando pone su genio a la disposición de los míseros bufones, desperdicios humanos, con tanto amor como lo rendía a los pies de los grandes caballeros y de los reyes. El bobo de Coria, de cuya horrenda catadura y de cuya simplicidad de espíritu se servían, para no aburrirse, los frívolos cortesanos, estaba más cerca de Dios que los galancetes esbeltos y las grandes señoras con la cara maquillada. Velázquez lo sabía bien. Sin duda, este mismo cristianismo, este mismo afán heroico de igualdad de las criaturas ante la divinidad, es el que corre, en un temblor de generosa simpatía, por la pluma de Cervantes, cuando nos describe, con mal disimulado amor, a los desdichados galeotes, enristrados, como cuentas de rosario, en su cadena.

Mas esta cristiana simpatía puede convertirse en enfermiza predilección por lo terrible; en anómalo desprecio por lo bello, que comparte con la fealdad el imperio de la naturaleza viva y de la inanimada. Así como el buen comedor puede pervertir su apetito y acabar prefiriendo al manjar fresco y oloroso el hedor de la carne adrede corrompida, o al terciopelo del vino añejo la llama brutal del aguardiente; así como el buen amador puede olvidar los goces de la pasión normal y descarriar por los vericuetos enlodados del vicio, así el estoico puede trocar en morboso regodeo la indulgente caridad hacia las cosas feas y tristes de la vida. Entonces, si tiene una paleta en la mano, pintará un muerto, no en su noble rigidez de mármol recién ausente del alma, sino como un montón de gusanos hediondos. Lo mismo el escritor.

VII

Acaso otras razones de calidad menos noble influyan también en esta actitud cruelmente realista, hasta más allá de los límites normales, de un grupo excelso de ingenios españoles. Tal sería, por ejemplo, el afán de impresionar con las truculencias la curiosidad de propios y extraños.

Algunos suponen que en muchas de las exaltaciones españolas de lo miserable y de lo deforme late una sorda protesta, acogotada por la censura, contra lo egregio y lo oficial, que es, al menos en su exterior, bello. Pero esto no me parece cierto. Una censura violenta no existía en aquella España más que para los asuntos teológicos; no para los de orden social y político. Lo prueba el que la literatura subversiva es tan copiosa en español como en cualquiera de los otros idiomas de entonces. Y en cuanto a la censura religiosa, el español se acomoda a ella dócilmente; es más, se hubiera acomodado voluntariamente, sin necesidad de represiones, porque casi sin excepción era sinceramente católico. Es rarísimo el español de cualquier tiempo para quien suponga una efectiva violencia el no poder discutir a la Santísima Trinidad.

VIII

Como enfermedad, o si se quiere como pasión del espíritu ascético, ha de interpretarse, a mi juicio, el recreo de ciertos artistas españoles por las facetas lamentables de la vida, recreo del cual es la picaresca una de sus más características expresiones. Y esta pasión, peligrosa como lo son casi todas, convirtióse en calamidad; porque de ella nació un género especial, falsamente exclusivo, como si no hubiera otra cosa que seres deformes en lo físico o en lo moral por tierras de España. Y de este género surgió a su vez una interpretación de España triste y pobre, gracias a la mala intención de algunos y a la ligereza de otros.

Los malintencionados pusieron las aspas del molino de nuestra leyenda negra al viento de este arte sombrío. Los ligeros se aprovecharon de él para pintar, con la pluma o con los pinceles, cuadros atroces, en los que prender —como los ciegos que romancean en la plaza pública— la atención y los maravedíes de la gente.

Cierto que para el hombre de buena fe y para el hombre de juicio reposado había también otros documentos en que informarse de lo que fue en toda su realidad la gran España de los tiempos de la picaresca. Junto al LAZARILLO *y junto al* Guzmán de Alfarache, *y junto a los pícaros y a las arpías abracadabrantes de don Francisco de Quevedo, estaba la literatura del honor —la más típica y la más gloriosa de nuestro teatro—, y el genio alado de los místicos, y la maravillosa poesía del romancero, destilando las esencias más puras y más nobles de cuanto puede albergar de bueno y de gracioso el alma humana. Y al lado de los monstruos de Velázquez estaban, igualmente, sus retratos y sus santos y sus paisajes, trémulos de elevados alientos transparentes; y los hidalgos del Greco, que quisieran desde antes de morir alcanzar el cielo con sus manos largas y dobladas "con la misma curva del borde de los cálices"; y los frailes llenos de humana santidad de Zurbarán. Pero el ojo maligno o el ojo superficial sólo veía lo atroz y lo injusto: el hombre honrado, prendido, porque pensaba como quería, por los familiares del gran Inquisidor; o el valiente mozo, gimiendo, por mantener un puntillo de honor, bajo el rebenque del cómitre; o el hidalgo que para disimular el hambre acerba se pasea limpiándose los dientes inusados con una pajilla.*

No hace mucho he leído un estudio sobre los enanos de Velázquez, escrito por un médico excelente y notable catador de cosas artísticas; pues bien, para él toda España se reducía a los bufones cuya miseria inmortalizó el genio del pintor sevillano. Y la verdad es que en los mismos

*lienzos velazqueños y en cualquiera de las mil
obras maestras de la época se encuentra otra España magnífica, no deforme, sino maravillosamente bella; no pobre, sino rica, de la riqueza que
nunca se acaba, la que no está sujeta a las coti-
zaciones de los mercados, la del alma. Con la he-
rencia de esa España magnífica andamos todavia
con orgullo, aunque sin vanidad, por el mundo.*

IX

Mucho mal nos han hecho estas historias picarescas, en las que el ingenio inigualado de sus
autores dio patente de corso a la bellaquería, y
creó en las gentes el desaliento que produce la
injusticia entronizada, y ante el mundo engendró la falsa idea de una España desarrapada y
cínica.

A muchos extrañará mi diatriba contrá los libros de la picaresca. Lo malo es que sea tan humilde su vapuleador y que no hayan encontrado
todavía para arrojarlos —en hipótesis— al fuego
una mano genial, como aquella que arremetiera
con mucha menos razón contra los libros de ca-
ballería.

Muchas cosas más he de decir, si Dios me da
vida, porque ahora ya no me importan ni los
respetos al puritanismo de los profesores, ni la
consideración a esos tradicionalistas que han per-
seguido con saña a tantos grandes escritores con-
temporáneos, a los que más han hecho por la
gloria de España, sólo porque en pequeñas y pe-
recederas cosas no pensaban como ellos. Y que en
cambio no han tenido una palabra de condenación
para estos antipatriotas de nuestro siglo de oro:
sólo porque pensaban en cosas fugaces, como ellos.

La historia de España, de la España eterna, se ha de continuar sobre valores de ética rigurosa. Hay para ello que hacer muchas cosas. Una es escarbar valientemente en nuestra conciencia tradicional y arrancarle la mala hierba de la picaresca, el espíritu de LAZARILLO, vivo todavía; arrancarle de nuestra alma, a pesar del yelmo intangible con que le protege la magia todopoderosa del ingenio.

G. MARAÑÓN

PRÓLOGO

Yo por bien tengo que cosas tan señaladas y por ventura nunca oídas ni vistas vengan a noticia de muchos, y no se entierren en la sepultura del olvido, pues podría ser que alguno que las lea halle algo que le agrade y a los que no ahondaren tanto los deleite. Y a este propósito dice Plinio que no hay libro, por malo que sea, que no tenga alguna cosa buena. Mayormente que los gustos no son todos unos; mas lo que uno no come otro se pierde por ello. Y así vemos cosas tenidas en poco de algunos, que de otros no lo son. Y esto, para que ninguna cosa se debería romper ni echar a mal, si muy detestable no fuese, sino que a todos se comunicase, mayormente siendo sin perjuicio y pudiendo sacar de ella algún fruto.

Porque si así no fuese, muy pocos escribirían para uno solo, pues no se hace sin trabajo, y quieren, ya que lo pasan, ser recompensados, no con dineros, mas con que vean y lean sus obras y, si hay de qué, se las alaben. Y a este propósito dice Tulio: "La honra cría las artes".

¿Quién piensa que el soldado que es primero del escala tiene más aborrecido el vivir? No por cierto; mas el deseo de alabanza le hace ponerse al peligro; y así en las artes y letras es lo mismo. Predica muy bien el presentado y es hombre que desea mucho el provecho de las ánimas; mas pregunten a su merced si le pesa cuando le dicen: "¡Oh, qué maravillosamente lo ha hecho vuestra reverencia!" Justó muy ruinmente el señor don Fulano, y dio el sayete de armas al truhán porque le loaba de haber llevado muy buenas lanzas: ¿qué hiciera si fuera verdad?

Y todo va desta manera: que confesando yo no ser más santo que mis vecinos desta nonada, que en este grosero estilo escribo, no me pesará que hayan parte y se huelguen con ello todos los que en ella algún gusto hallaren, y vean que vive un hombre con tantas fortunas, peligros y adversidades.

Suplico a vuestra merced reciba el pobre servicio de mano de quien lo hiciera más rico si su poder y deseo se conformaran. Y pues vuestra merced escribe se le escriba y relate el caso muy por extenso, parecióme no tomarle por el medio, sino del principio, porque se tenga entera noticia de mi persona. Y también porque consideren los que heredaron nobles estados cuán poco se les debe, pues Fortuna fue con ellos parcial, y cuánto más hicieron los que, siéndoles contraria, con fuerza y maña remando salieron a buen puerto.

TRATADO PRIMERO

CUENTA LÁZARO SU VIDA Y CUYO HIJO FUE

Pues sepa vuestra merced, ante todas cosas, que a mí llaman Lázaro de Tormes, hijo de Tomé González y de Antonia Pérez, naturales de Tejares, aldea de Salamanca. Mi nacimiento fue dentro del río Tormes, por la cual causa tomé el sobrenombre, y fue desta manera. Mi padre, que Dios perdone, tenía cargo de proveer una molienda de una aceña que está ribera de aquel río, en la cual fue molinero más de quince años. Y estando mi madre una noche en la aceña, preñada de mí, tomóle el parto y parióme allí. De manera que con verdad me puedo decir nacido en el río.

Pues siendo yo niño de ocho años, achacaron a mi padre ciertas sangrías mal hechas en los costales de los que allí a moler venían, por lo cual fue preso, y confesó y no negó, y padeció persecución por justicia. Espero en Dios que está en la gloria, pues el Evangelio los llama bienaventurados. En este tiempo se hizo cierta armada contra moros, entre los cuales fue mi padre, que

a la sazón estaba desterrado por el desastre ya
dicho, con cargo de acemilero de un caballero
que allá fue. Y con su señor, como leal criado,
feneció su vida.

Mi viuda madre, como sin marido y sin abrigo
se viese, determinó arrimarse a los buenos por ser
uno dellos y vínose a vivir a la ciudad, y alquiló
una casilla, y metióse a guisar de comer a ciertos
estudiantes, y lavaba la ropa a ciertos mozos de
caballos del comendador de la Magdalena, de manera que fue frecuentando las caballerizas.

Ella y un hombre moreno de aquellos que las
bestias curaban vinieron en conocimiento. Éste
algunas veces se venía a nuestra casa y se iba a la
mañana. Otras veces, de día llegaba a la puerta,
en achaque de comprar huevos y entrábase en
casa. Yo al principio de su entrada, pesábame con
él y habíale miedo, viendo el color y mal gesto que
tenía; mas de que vi que con su venida mejoraba
el comer, fuile queriendo bien, porque siempre
traía pan, pedazos de carne, y en el invierno leños,
a que nos calentábamos.

De manera que, continuando la posada y conversación, mi madre vino a darme un negrito muy
bonito, el cual yo brincaba y ayudaba a calentar.

Y acuérdome que, estando el negro de mi padrastro trebejando con el mozuelo, como el niño
veía a mi madre y a mí blancos y a él no, huía de
él, con miedo, para mi madre, y señalando con el
dedo, decía: "¡Madre, coco!"

Respondió él riendo: "¡Hideputa!"

Yo, aunque bien muchacho, noté aquella palabra de mi hermanico y dije entre mí: "¡Cuántos debe de haber en el mundo que huyen de otros porque no se ven a sí mismos!"

Quiso nuestra fortuna que la conversación del Zaide, que así se llamaba, llegó a oídos del mayordomo y hecho pesquisa, hallóse que la mitad por medio de la cebada que para las bestias le daban hurtaba, y salvados, leña, almohazas, mandiles y las mantas y sábanas de los caballos hacía perdidas, y cuando otra cosa no tenía, las bestias desherraba, y con todo esto acudía a mi madre para criar a mi hermanico. No nos maravillemos de un clérigo ni fraile porque el uno hurta de los pobres y el otro de casa para sus devotas y para ayuda de otro tanto, cuando a un pobre esclavo el amor le animaba a esto.

Y probósele cuanto digo y aun más. Porque a mí, con amenazas, me preguntaban, y como niño, respondía y descubría cuanto sabía, con miedo: hasta ciertas herraduras que por mandado de mi madre a un herrero vendí.

Al triste de mi padrastro azotaron y pringaron y a mi madre pusieron pena por justicia, sobre el acostumbrado centenario, que en casa del sobredicho comendador no entrase, ni al lastimado Zaide en la suya acogiese.

Por no echar la soga tras el caldero, la triste se

esforzó y cumplió la sentencia. Y por evitar peligro y quitarse de malas lenguas, se fue a servir a los que al presente vivían en el mesón de la Solana. Y allí, padeciendo mil importunidades, se acabó de criar mi hermanico, hasta que supo andar, y a mí hasta ser buen mozuelo, que iba a los huéspedes por vino y candelas y por lo demás que me mandaban.

En este tiempo vino a posar al mesón un ciego, el cual, pareciéndole que yo sería para adestrarle, me pidió a mi madre, y ella me encomendó a él, diciéndole cómo era hijo de un buen hombre, el cual, por ensalzar la fe, había muerto en la de los Gelves, y que ella confiaba en Dios no saldría peor hombre que mi padre y que le rogaba me tratase bien y mirase por mí, pues era huérfano.

Él respondió que así lo haría y que me recibía, no por mozo, sino por hijo. Y así le comencé a servir y adestrar a mi nuevo y viejo amo.

Como estuvimos en Salamanca algunos días, pareciéndole a mi amo que no era la ganancia a su contento, determinó irse de allí, y cuando nos hubimos de partir yo fui a ver a mi madre, y, ambos llorando, me dio su bendición y dijo:

—Hijo: ya sé que no te veré más. Procura de ser bueno, y Dios te guíe. Criado te he y con buen amo te he puesto: válete por ti.

Y así, me fui para mi amo, que esperándome estaba.

Salimos de Salamanca, y llegando a la puente, está a la entrada de ella un animal de piedra, que casi tiene forma de toro, y el ciego mandóme que llegase cerca del animal, y allí puesto, me dijo:

—Lázaro; llega el oído a este toro y oirás gran ruido dentro dél.

Yo simplemente llegué, creyendo ser así. Y como sintió que tenía la cabeza par de la piedra, afirmó recio la mano y diome una gran calabazada en el diablo del toro, que más de tres días me duró el dolor de la cornada y díjome:

—Necio, aprende que el mozo del ciego un punto ha de saber más que el diablo.

Y rio mucho la burla.

Parecióme que en aquel instante desperté de la simpleza en que, como niño dormido, estaba. Dije entre mí:

"Verdad dice éste, que me cumple avivar el ojo y avisar, pues solo soy, y pensar cómo me sepa valer".

Comenzamos nuestro camino, y en muy pocos días me mostró jerigonza. Y como me viese de buen ingenio, holgábase mucho y decía:

—Yo oro ni plata no te lo puedo dar; mas avisos para vivir, muchos te mostraré.

Y fue así: que, después de Dios, éste me dio la vida, y siendo ciego me alumbró y adestró en la carrera de vivir.

Huelgo de contar a vuestra merced estas niñerías, para mostrar cuánta virtud sea saber los

hombres subir siendo bajos, y dejarse bajar siendo altos cuánto vicio.

Pues, tornando al bueno de mi ciego y contando sus cosas, vuestra merced sepa que, desde que
Dios creó el mundo, ninguno formó más astuto ni
sagaz. En su oficio era un águila. Ciento y tantas
oraciones sabía de coro. Un tono bajo, reposado y
muy sonable, que hacía resonar la iglesia donde
rezaba; un rostro humilde y devoto, que con muy
buen continente ponía cuando rezaba, sin hacer
gestos ni visajes con boca ni ojos, como otros suelen hacer.

Allende desto, tenía otras mil formas y maneras para sacar el dinero. Decía saber oraciones
para muchos y diversos efectos, para mujeres que
no parían, para las que estaban de parto, para las
que eran malcasadas que sus maridos las quisie-
sen bien. Echaba pronósticos a las preñadas: si
traía hijo o hija.

Pues en caso de medicina, decía que Galeno no
supo la mitad que él para muela, desmayos, males
de madre. Finalmente, nadie le decía padecer
alguna pasión que luego no le decía:

"Haced esto, haréis estotro, coged tal hierba,
tomad tal raíz".

Con esto andábase todo el mundo tras él, especialmente mujeres, que cuanto les decía creían.
Déstas sacaba él grandes provechos con las artes
que digo, y ganaba más en un mes que cien ciegos
en un año.

Mas también quiero que sepa vuestra merced que, con todo lo que adquiría y tenía, jamás tan avariento ni mezquino hombre no vi; tanto, que me mataba a mí de hambre, y así no me demediaba de lo necesario. Digo verdad; si con mi sutileza y buenas mañas no me supiera remediar, muchas veces me finara de hambre; mas con todo su saber y aviso, le contraminaba de tal suerte, que siempre, o las más veces, me cabía lo más y mejor. Para esto le hacía burlas endiabladas, de las cuales contaré algunas, aunque no todas a mi salvo. Él traía el pan y todas las otras cosas en un fardel de lienzo, que por la boca se cerraba con una argolla de hierro y su candado y su llave, y el meter de todas las cosas y sacarlas, era con tan gran vigilancia y tanto por contadero, que no bastara hombre en todo el mundo hacerle menos una migaja. Mas yo tomaba aquella laceria que él me daba, la cual en menos de dos bocados era despachada.

Después que cerraba el candado y se descuidaba, pensando que yo estaba entendiendo en otras cosas, por un poco de costura, que muchas veces del un lado del fardel descosía y tornaba a coser, sangraba el avariento fardel, sacando no por tasa pan, mas buenos pedazos, torreznos y longaniza. Y así buscaba conveniente tiempo para rehacer, no la chaza, sino la endiablada falta que el mal ciego me faltaba.

Todo lo que podía sisar y hurtar traía en me-

dias blancas, y cuando le mandaban rezar y le
daban blancas, como él carecía de vista, no había
el que se la daba amagado con ella, cuando yo la
tenía lanzada en la boca y la media aparejada,
que por presto que él echaba la mano, ya iba de
mi cambio aniquilada en la mitad del justo pre-
cio. Quejábaseme el mal ciego, porque al tiento
luego conocía y sentía que no era blanca entera y
decía:

—¿Qué diablo es esto, que después que conmigo
estás no me dan sino medias blancas, y de antes
una blanca y un maravedí hartas veces me paga-
ban? En ti debe estar esta desdicha.

También él abreviaba el rezar y la mitad de la
oración no acababa, porque tenía mandado que
en yéndose el que la mandaba rezar, le tirase
por cabo del capuz. Yo así lo hacía. Luego él tornaba a dar voces, diciendo:

"¿Mandan rezar tal y tal oración?", como suelen decir.

Usaba poner cabe sí un jarrilo de vino, cuando comíamos; yo muy de presto le asía y daba un
par de besos callados y tornábale a su lugar. Mas
duróme poco. Que en los tragos conocía la falta,
y por reservar su vino a salvo nunca después des-
amparaba el jarro, antes lo tenía por el asa asido. Mas no había piedra imán que así trajese a sí
como yo con una paja larga de centeno, que para
aquel menester tenía hecha, la cual, metiéndola
en la boca del jarro, chupado el vino, lo dejaba a

buenas noches. Mas, como fuese el traidor tan
astuto, pienso que me sintió, y dende en adelante
mudó propósito y asentaba su jarro entre las
piernas y atapábale con la mano, y así bebía seguro.

Yo, como estaba hecho al vino, moría por él, y
viendo que aquel remedio de la paja no me aprovechaba ni valía, acordé, en el suelo del jarro
hacerle una fuentecilla y agujero sotil, y delicadamente con una muy delgada tortilla de cera,
taparlo, y al tiempo de comer, fingiendo haber
frío, entrábame entre·las piernas del triste ciego a
calentarme en la pobrecilla lumbre que teníamos,
y al calor della, luego derretida la cera, por ser
muy poca, comenzaba la fuentecilla a destilarme
en la boca, la cual yo de tal manera ponía, que
maldita la gota se perdía. Cuando el pobrete iba
a beber, no hallaba nada.

Espantábase, maldecíase, daba al diablo el jarro
y el vino, no sabiendo qué podía ser.

—No diréis, tío, que es lo bebo yo —decía—,
pues no le quitáis de la mano.

Tantas vueltas y tientos dio al jarro, que halló
la fuente y cayó en la burla; mas así lo disimuló
como si no lo hubiera sentido.

Y luego, otro día, teniendo yo rezumando mi
jarro como solía, no pensando el daño que me
estaba aparejado ni que el mal ciego me sentía,
sentéme como solía; estando recibiendo aquellos
dulces tragos, mi cara puesta hacia el cielo, un

poco cerrados los ojos por mejor gustar el sabroso licor, sintió el desesperado ciego que agora
tenía tiempo de tomar de mí venganza, y con
toda su fuerza, alzando con dos manos aquel dulce y amargo jarro, le dejó caer sobre mi boca,
ayudándose, como digo, con todo su poder, de
manera que el pobre Lázaro, que de nada desto
se guardaba, antes, como otras veces, estaba descuidado y gozoso, verdaderamente me pareció
que el cielo, con todo lo que en él hay, me había
caído encima.

Fue tal el golpecillo, que me desatinó y sacó
de sentido, y el jarrazo tan grande, que los pedazos de él se me metieron por la cara, rompién-
domela por muchas partes, y me quebró los dientes, sin los cuales hasta hoy día me quedé. Desde
aquella hora quise mal al mal ciego, y, aunque
me quería y regalaba y me curaba, bien vi que
se había holgado del cruel castigo. Lavóme con
vino las roturas que con los pedazos del jarro
me había hecho, y, sonriéndose, decía:

—¿Qué te parece, Lázaro? Lo que te enfermó
te sana y da salud.

Y otros donaires, que a mi gusto no lo eran.
Ya que estuve medio bueno de mi negra trepa
y cardenales, considerando que a pocos golpes
tales el cruel ciego ahorraría de mí, quise yo
ahorrar de él; mas no lo hice tan presto por hacerlo más a mi salvo y provecho. Aunque yo
quisiera asentar mi corazón y perdonarle el ja-

rrazo, no daba lugar al maltratamiento que el mal ciego dende allí adelante me hacía, que sin causa ni razón me hería, dándome coscorrones y repelándome.

Y si alguno le decía por qué me trataba tan mal, luego contaba el cuento del jarro, diciendo:

—¿Pensaréis que este mi mozo es algún inocente? Pues oíd si el demonio ensayara otra tal hazaña.

Santiguándose los que lo oían, decían:

—¡Mira quién pensara de un muchacho tan pequeño tal ruindad!

Y reían mucho del artificio, decíanle:

—Castigadlo, castigadlo, que de Dios lo habréis.

Y él, con aquello, nunca otra cosa hacía.

Y en esto yo siempre le llevaba por los peores caminos y adrede, por le hacer mal daño: si había piedras, por ellas; si lodo, por lo más alto. Que aunque yo no iba por lo más enjuto, holgábame a mí de quebrar un ojo por quebrar dos al que ninguno tenía. Con esto, siempre con el cabo alto del tiento me atentaba el colodrillo, el cual siempre traía lleno de tolondrones y pelado de sus manos. Y aunque yo juraba no lo hacer con malicia, sino por no hallar mejor camino, no me aprovechaba ni me creía más; tal era el sentido y el grandísimo entendimiento del traidor.

Y porque vea vuestra merced a cuánto se extendía el ingenio de este astuto ciego, contaré un

caso de muchos que con él me acaecieron, en el
cual me parece dio bien a entender su gran astu-
cia. Cuando salimos de Salamanca, su motivo
fue venir a tierra de Toledo. Porque decía ser la
gente más rica, aunque no muy limosnera. Arri-
mábase a este refrán: "Más da el duro que el
desnudo". Y vinimos a este camino por los mejores lugares. Donde hallaba buena acogida y ganancia deteníamos; donde no, a tercero día
hacíamos San Juan.

Acaeció que, llegando a un lugar que llaman
Almorox al tiempo que cogían las uvas, un ven-
dimiador le dio un racimo de ellas en limosna.
Y como suelen ir los cestos maltratados, y también porque la uva en aquel tiempo está muy
madura, desgranábasele el racimo en la mano.
Para echarlo en el fardel tornábase mosto, y lo
que a él se llegaba.

Acordó de hacer un banquete, así por no lo
poder llevar como por contentarme: que aquel
día me había dado muchos rodillazos y golpes.
Sentámonos en un valladar y dijo:

—Agora quiero yo usar contigo de una libera-
lidad, y es que ambos comamos este racimo de
uvas y que hayas de él tanta parte como yo. Par-
tirlo hemos de esta manera: tú picarás una vez
y yo otra, con tal que me prometas no tomar
cada vez más de una uva. Yo haré lo mismo hasta
que lo acabemos, y de esta suerte no habrá engaño.

Hecho así el concierto, comenzamos; mas luego el segundo lance, el traidor mudó propósito, y comenzó a tomar de dos en dos, considerando que yo debría hacer lo mismo. Como vi que él quebraba la postura, no me contenté ir a la par con él; más aun pasaba adelante: dos a dos y tres a tres, y como podía las comía. Acabado el racimo, estuvo un poco con el escobajo en la mano, y meneando la cabeza, dijo:

—Lázaro: engañado me has. Juraré yo a Dios que has tú comido las uvas de a tres.

—No comí —dije yo—; mas, ¿por qué sospecháis eso?

Respondió el sagacísimo ciego:

—¿Sabes en qué veo que las comiste tres a tres? En que comía yo dos a dos y callabas.

A lo cual yo no respondí. Yendo que íbamos así por debajo de unos soportales, en Escalona, adonde a la sazón estábamos en casa de un zapatero, había muchas sogas y otras cosas que de esparto se hacen, y parte de ellas dieron a mi amo en la cabeza. El cual, alzando la mano, tocó en ellas, y viendo lo que era díjome:

—Anda presto, muchacho: salgamos de entre tan mal manjar, que ahoga sin comerlo.

Yo, que bien descuidado iba de aquello, miré lo que era, y como no vi sino sogas y cinchas, que no era cosa de comer, díjele:

—Tío, ¿por qué decís eso?

Respondióme:

—Calla, sobrino; según las mañas que llevas, lo sabrás y verás cómo digo verdad.

Y así pasamos adelante por el mismo portal, y llegamos a un mesón, a la puerta del cual había muchos cuernos en la pared, donde ataban los recueros sus bestias, y como iban tentando si era allí el mesón adonde él rezaba cada día por la mesonera la oración de la emparedada, asió de un cuerno, y con un gran suspiro dijo:

—¡Oh, mal cosa, peor que tiene la hechura! ¡De cuántos eres deseado poner tu nombre sobre cabeza ajena y de cuán pocos tenerte ni aun oír tu nombre por ninguna vía!

Como le oí lo que decía, dije:

—Tío, ¿qué es esto que decís?

—Calla, sobrino, que algún día te dará este que en la mano tengo alguna mala comida y cena.

—No le comeré yo —dije—, y no me la dará.

—Yo te digo verdad; si no, verlo has, si vives.

Y así pasamos adelante, hasta la puerta del mesón, adonde pluguiere a Dios nunca allá llegáramos, según lo que me sucedía en él.

Era, todo lo más que rezaba, por mesoneras, y por bodegoneras y turroneras y rameras, y así por semejantes mujercillas, que por hombre casi nunca le vi decir oración.

Reíme entre mí, y aunque muchacho, noté mucho la discreta consideración del ciego.

Mas, por no ser prolijo, dejo de contar muchas

cosas, así graciosas como de notar, que con este
mi primer amo me acaecieron, y quiero decir el
despidiente y con él acabar. Estábamos en Escalona, villa del duque della, en un mesón, y diome un pedazo de longaniza que le asase. Ya que
la longaniza había pringado y comídose las prin-
gadas, sacó un maravedí de la bolsa y mandó que
fuese por él de vino a la taberna. Púsose el demonio el aparejo delante de los ojos, el cual, como
suelen decir, hace al ladrón, y fue que había
cabe el fuego un nabo pequeño, larguillo y rui-
noso, y tal que, por no ser para la olla, debió ser
echado allí.

Y como al presente nadie estuviese sino él y
yo solos, y como me vi con apetito goloso, habién-
dome puesto dentro el sabroso olor de la longaniza, del cual solamente sabía que había de gozar,
no mirando qué me podría suceder, pospuesto
todo el temor por cumplir con el deseo, en tanto
que el ciego sacaba de la bolsa el dinero, saqué
la longaniza y muy presto metí el sobredicho
nabo en el asador. El cual, mi amo, dándome el
dinero para el vino, tomó y comenzó a dar vueltas
al fuego queriendo asar al que de ser cocido, por
sus deméritos, había escapado.

Yo fui por el vino, con el cual no tardé en des-
pachar la longaniza, y cuando vine hallé al pecador del ciego que tenía entre dos rebanadas apre-
tado el nabo, al cual aún no había conocido por
no lo haber tentado con la mano. Como tomase

las rebanadas y mordiese en ellas, pensando también llevar parte de la longaniza, hallóse en frío con el frío nabo. Alteróse y dijo:

—¿Qué es esto, Lazarillo?

—¡Lacerado de mí! —dije yo—. ¿Si queréis a mí echar algo? ¿Yo no vengo de traer el vino? Alguno estaba ahí y por burlar haría esto.

—No, no —dijo él—, que yo no he dejado el asador de la mano; no es posible.

Yo torné a jurar y perjurar que estaba libre de aquel trueco y cambio; mas poco me aprovechó, pues a las astucias del maldito ciego nada se le escondía. Levantóse y asióme por la cabeza y llegóse a olerme. Y como debió sentir al huelgo, a uso de buen podenco, por mejor satisfacer de la verdad y con la gran agonía que llevaba, asiéndome con las manos abríame la boca más de su derecho y desatentadamente metía la nariz. La cual tenía luenga y afilada, y a aquella sazón, con el enojo se había aumentado un palmo. Con el pico de la cual me llegó a la gulilla.

Y con esto, y con el gran miedo que tenía, y con la brevedad del tiempo, la negra longaniza aún no había hecho asiento en el estómago; y lo más principal: con el destiento de la cumplidísima nariz medio casi ahogándome, todas estas cosas se juntaron y fueron causa que el hecho y golosina se manifestase y lo suyo fuese vuelto a su dueño. De manera que, antes que el mal ciego sacase de mi boca su trompa, tal alteración sin-

tió mi estómago, que le dio con el hurto en ella,
de suerte que su nariz y la negra malmascada
longaniza a un tiempo salieron de mi boca.

¡Oh, gran Dios, quién estuviera a aquella hora
sepultado, que muerto ya lo estaba! Fue tal el
coraje del perverso ciego que, si al ruedo no acu-
dieran, pienso no me dejara con la vida. Sacá-
ronme de entre sus manos, dejándoselas llenas
de aquellos pocos cabellos que tenía, arañada la
cara y rasguñado el pescuezo y la garganta. Y esto
bien lo merecía, pues por su maldad me venían
tantas persecuciones.

Contaba el mal ciego a todos cuantos allí se
allegaban mis desastres, y dábales cuenta una y
otra vez, así la del jarro como de la del racimo
y agora de lo presente. Era la risa de todos tan
grande, que toda la gente que por la calle pasaba
entraba a ver la fiesta: mas con tanta gracia y
donaire recontaba el ciego mis hazañas, que, aunque yo estaba tan maltratado y llorando, me parecía que hacía sinjusticia en no se las reír.

Y en cuanto esto pasaba, a la memoria me
vino una cobardía y flojedad que hice porque
me maldecía, y fue no dejarle sin narices, pues
tan buen tiempo tuve para ello, que la mitad del
camino estaba andado. Que con sólo apretar los
dientes se me quedaran en casa, y, con ser de
aquel malvado, por ventura lo detuviera mejor
mi estómago que retuvo la longaniza, y no pare-
ciendo ellas pudiera negar la demanda. Pluguie-

ra a Dios que lo hubiera hecho, que eso fuera así
que así.

Hiciéronnos amigos la mesonera y los que allí
estaban, y con el vino que para beber le había
traído laváronme la cara y la garganta. Sobre lo
cual discantaba el mal ciego donaires, diciendo:

—Por verdad, más vino me gasta este mozo en
lavatorios al cabo de año que yo bebo en dos. A lo
menos, Lázaro, eres en más cargo al vino que a
tu padre, porque él una vez te engendró, mas
el vino mil te ha dado la vida.

Y luego contaba cuántas veces me había descalabrado y harpado la cara y con vino luego sa-
naba.

—Yo te digo —dijo— que si hombre en el
mundo ha de ser bienaventurado con vino, que
serás tú.

Y reían mucho, los que lavaban, con esto, aunque yo renegaba. Mas el propósito del ciego no
salió mentiroso, y después acá muchas veces me
acuerdo de aquel hombre, que sin duda debía
tener espíritu de profecía, y me pesa de los sin-
sabores que le hice, aunque bien se lo pagué, considerando lo que aquel día me dijo salirme tan
verdadero como adelante vuestra merced oirá.

Visto esto y las malas burlas que el ciego bur-
laba de mí, determiné de todo en todo dejarle, y
como lo traía pensado y lo tenía en voluntad,
con este postrer juego que me hizo afirmélo más.
Y fue así que luego otro día salimos por la villa a

pedir limosna y había llovido mucho la noche antes. Y porque el día también llovía y andaba rezando debajo de unos portales que en aquel pueblo había, donde no nos mojamos; mas como la noche se venía y el llover no cesaba, díjome el ciego:

—Lázaro: esta agua es muy porfiada, y cuanto la noche más cierra, más recia. Acojámonos a la posada con tiempo.

Para ir allá habíamos de pasar un arroyo, que con la mucha agua iba grande.

Yo le dije:

—Tío: el arroyo va muy ancho; mas si queréis, yo veo por dónde atravesamos más aína sin nos mojar, porque se estrecha allí mucho, y saltando pasaremos a pie enjuto.

Parecióle buen consejo y dijo:

—Discreto eres; por esto te quiero bien. Llévame a ese lugar donde el arroyo se enangosta, que agora es invierno y sabe mal el agua, y más llevar los pies mojados.

Yo que vi el aparejo a mi deseo, saquéle debajo de los portales y llevélo de un pilar o poste de piedra que en la plaza estaba, sobre el cual y sobre otros cargaban saledizos de aquellas casas, y dígole:

—Tío: este es el paso más angosto que en el arroyo hay.

Como llovía recio y el triste se mojaba, y con la prisa que llevábamos de salir del agua, que

encima se nos caía, y, lo más principal, porque
Dios le cegó aquella hora el entendimiento (fue
por darme de él venganza), creyóse de mí y dijo:

—Ponme bien derecho y salta tú el arroyo.

Yo le puse bien derecho enfrente del pilar, y
doy un salto y póngome detrás del poste, como
quien espera tope de toro, y díjele:

—¡Sus! Saltad todo lo que podáis, porque deis
deste cabo del agua.

Aun apenas lo había acabado de decir cuando
se abalanza el pobre ciego como cabrón y de toda
su fuerza arremete, tomando un paso atrás de la
corrida para hacer mayor salto y da con la cabeza en el poste, que sonó tan recio como si diera
con una gran calabaza, y cayó luego para atrás
medio muerto y hendida la cabeza.

—¿Cómo, y oliste la longaniza y no el poste?
¡Olé! ¡Olé! —le dije yo.

Y dejéle en poder de mucha gente que lo había
ido a socorrer, y tomé la puerta de la villa en los
pies de un trote, y antes que la noche viniese di
conmigo en Torrijos. No supe más lo que Dios
hizo dél, ni curé de lo saber.

TRATADO SEGUNDO

CÓMO LÁZARO SE ASENTÓ CON UN CLÉRIGO
Y DE LAS COSAS QUE CON ÉL PASÓ

Otro día, no pareciéndome estar allí seguro, fuime a un lugar que llaman Maqueda, adonde me toparon mis pecados con un clérigo, que, llegando a pedir limosna, me preguntó si sabía ayudar a misa. Yo dije que sí, como era verdad. Que, aunque maltratado, mil cosas buenas me mostró el pecador del ciego, y una dellas fue ésta. Finalmente, el clérigo me recibió por suyo.

Escapé del trueno y di en el relámpago. Porque era el ciego para con éste un Alejandro Magno, con ser la misma avaricia, como he contado. No digo más sino que toda la laceria del mundo estaba encerrada en éste. No sé si de su cosecha era o lo había anexado con el hábito de clerecía.

Él tenía un arcaz viejo y cerrado con su llave, la cual traía atada con una agujeta del paletoque. Y en viniendo el bodigo de la iglesia, por su mano era luego allí lanzado y tornaba a cerrar

el arca. Y en toda la casa no había ninguna cosa
de comer, como suele estar en otras; algún toci-
no colgado al humero, algún queso puesto en alguna tabla o en el armario, algún canastillo con
algunos pedazos de pan que de la mesa sobran.
Que me parece a mí, que, aunque dello no me
aprovechara, con la vista dello me consolara.

Solamente había una horca de cebollas, y tras
la llave de una cámara en lo alto de la casa.
Déstas tenía yo de ración una para cada cuatro
días, y cuando le pedía la llave para ir por ella,
si alguno estaba presente, echaba mano al falso-
pecto y con gran continencia la desataba y me
la daba, diciendo:

—Toma y vuélvela luego y no hagas sino go-
losinar.

Como si debajo de ella estuvieran todas las
conservas de Valencia, con no haber en la dicha
cámara, como dije, maldita la otra cosa que las
cebollas colgadas de un clavo, que, si por males
de mis pecados me desmandara a más de mi tasa,
me costara caro.

Finalmente, yo me finaba de hambre.

Pues, ya que conmigo tenía poca caridad, con-
sigo usaba más. Cinco blancas de carne era su
ordinario para comer y cenar. Verdad es que partía conmigo del caldo. Que de la carne, ¡tan blanco
el ojo!, sino un poco de pan, y pluguiera a Dios
que me demediara.

Los sábados cómense en esta tierra cabezas de

carnero, y enviábame por una, que costaba tres
maravedíes. Aquélla la cocía y comía los ojos, y
la lengua, y el cogote, y sesos, y la carne que en
las quijadas tenía, y dábame todos los huesos
roídos. Y dábamelos en el plato diciendo: "Toma,
come, triunfa, que para ti es el mundo. Mejor vida
tienes que el papa."

"Tal te la dé Dios", decía yo paso entre mí.
Al cabo de tres semanas que estuve con él vine
a tanta flaqueza, que no me podía tener en las
piernas de pura hambre. Vime claramente ir a la
sepultura, si Dios y mi saber no me remediaran.
Para usar de mis mañas no tenía aparejo, por
no tener en qué darle salto. Y aunque algo hubiera, no podía cegarle, como hacía al que Dios
perdone, si de aquella calabazada feneció. Que
todavía, aunque astuto, con faltarle aquel precia-
do sentido, no me sentía; mas estotro, ninguno
hay que tan aguda vista tuviese como él tenía.

Cuando al ofertorio estábamos, ninguna blanca
en la concha caía que no era de él registrada. El
un ojo tenía en la gente y el otro en mis manos.
Bailábanle los ojos en el casco como si fueran de
azogue. Cuantas blancas ofrecían tenía por cuenta. Y acabado el ofrecer, luego me quitaba la con-
cheta y la ponía sobre el altar.

No era yo señor de asirle una blanca todo el
tiempo que con él viví o, por mejor decir, morí.
De la taberna nunca le traje una blanca de vino;
mas aquel poco que de la ofrenda había metido

en su arcaz compensaba de tal forma que le duraba toda la semana.

Y por ocultar su gran mezquindad decíame:

—Mira, mozo; los sacerdotes han de ser muy templados en su comer y beber, y por esto yo no me desmando como otros.

Mas el lacerado mentía falsamente, porque en cofradías y mortuorios que rezamos, a costa ajena comía como lobo y bebía más que un saludador.

Y porque dije de mortuorios, Dios me perdone, que jamás fui enemigo de la naturaleza humana sino entonces. Y esto era porque comíamos bien y me hartaban. Deseaba y aun rogaba a Dios que cada día matase el suyo. Y cuando dábamos sacramento a los enfermos, especialmente la Extremaunción, como mandaba el clérigo rezar a los que están allí, yo cierto no era el postrero de la oración, y con todo mi corazón y buena voluntad rogaba al Señor, no que le echase a la parte que más servido fuese, como se suele decir, mas que le llevase de aqueste mundo.

Y cuando alguno déstos escapaba, Dios me lo perdone, que mil veces le daba al diablo. Y el que se moría, otras tantas bendiciones llevaba de mí dichas. Porque en todo el tiempo que allí estuve, que sería casi seis meses, solas veinte personas fallecieron, y éstas bien creo que las maté yo, o por mejor decir, murieron a mi recuesta. Porque viendo el Señor mi rabiosa y continua

muerte, pienso que holgaba de matarlos por darme a mí vida. Mas de lo que al presente padecía,
remedio no hallaba. Que si el día que enterrába-
mos yo vivía, los días que no había muerto, por
quedar bien vezado de la hartura, tornando a mi
cuotidiana hambre, más lo sentía. De manera que
en nada hallaba descanso, salvo en la muerte,
que yo también para mí, como para los otros,
deseaba algunas veces; mas no la veía, aunque
estaba siempre en mí.

Pensé muchas veces irme de aquel mezquino
amo; mas por dos cosas no lo dejaba: la primera,
por no me atrever a mis piernas, por temer de
la flaqueza que de pura hambre me venía; y la
otra, consideraba y decía:

"Yo he tenido dos amos: el primero traíame
muerto de hambre, y, dejándole, topé con estotro, que me tiene ya con ella en la sepultura;
pues si déste desisto y doy en otro más bajo, ¿qué
será sino fenecer?"

Con esto no me osaba menear. Porque tenía por
fe que todos los grados había de hallar más ruines. Y a bajar otro punto no sonara Lázaro ni se
oyera en el mundo.

Pues estando en tal aflicción, cual plega al
Señor librar de ella a todo fiel cristiano, y sin
saber darme consejo, viéndome ir de mal en peor,
un día que el cuitado, ruin y lacerado de mi amo
había ido fuera del lugar, llegóse acaso a mi
puerta un calderero, el cual yo creo que fue ángel

enviado a mí por la mano de Dios en aquel hábito. Preguntóme si tenía algo que adobar.

—En mí teníades bien que hacer y no haríades poco si me remediásedes —dije paso, que no me oyó.

Mas como no era tiempo de gastarlo en decir gracias, alumbrado por el Espíritu Santo le dije:

—Tío, una llave deste arte he perdido, y temo mi señor me azote. Por vuestra vida, veáis si en ésas que traéis hay alguna que le haga, que yo os lo pagaré.

Comenzó a probar el angélico calderero una y otra de un gran sartal que de ellas traía, y yo a ayudarle con mis flacas oraciones. Cuando no me cato veo en figura de panes, como dicen, la cara de Dios dentro del arcaz. Y, abierto, díjele:

—Yo no tengo dineros que os dar por la llave; mas tomad de ahí el pago.

Él tomó un bodigo de aquéllos, el que mejor le pareció, y, dándome mi llave, se fue muy contento, dejándome más a mí.

Mas no toqué en nada por el presente, por que no fuese la falta sentida, y aun porque me vi de tanto bien señor parecióme que la hambre no se me osaba allegar. Vino el mísero de mi amo, y quiso Dios no miró en la oblada que el ángel había llevado.

Y otro día, en saliendo de mi casa, abro mi paraíso panal y tomo entre las manos y dientes un bodigo y en dos credos le hice invisible no se me olvidando el arca abierta. Y comienzo a ba-

rrer la casa con mucha alegría, pareciéndome con
aquel remedio remediar dende en adelante la
triste vida. Y así estuve con ello aquel día y otro
gozoso. Mas no estaba en mi dicha que me durase
mucho aquel descanso; porque luego, al tercer
día, me vino la terciana derecha.

Y fue que veo a deshora al que me mataba de
hambre sobre nuestro arcaz, volviendo y revol-
viendo, contando y tornando a contar los panes.
Yo disimulaba, y en mi secreta oración y devo-
ciones y plegarias decía:

"¡San Juan, y ciégale!"

Después que estuvo un gran rato echando la
cuenta, por días y dedos contando, dijo:

—Si no tuviera a tan buen recaudo esta arca,
yo dijera que me habían tomado de ella panes;
pero de hoy más, sólo por cerrar la puerta a la
sospecha, quiero tener buena cuenta con ellos:
nueve quedan y un pedazo.

"¡Nuevas malas te dé Dios!", dije yo entre mí.

Parecióme con lo que dijo pasarme el corazón
con saeta de montero, y comenzóme el estómago
a escarbar de hambre, viéndose puesto en la die-
ta pasada. Fue fuera de casa. Yo, por consolar-
me, abro el arca, y como vi el pan, comencélo de
adorar, no osando recibirlo. Contélos, si a dicha
el lacerado se errara, y hallé su cuenta más ver-
dadera que yo quisiera. Lo más que yo pude
hacer fue dar en ellos mil besos, y lo más delica-
do que yo pude, del partido partí un poco al pelo

que él estaba, y con aquél pasé aquel día, no tan
alegre como el pasado.

Mas como la hambre creciese, mayormente que
tenía el estómago hecho a más pan aquellos dos
o tres días ya dichos, moría mala muerte; tanto
que otra cosa no hacía en viéndome solo sino
abrir y cerrar el arca y contemplar en aquella
cara de Dios, que así dicen los niños. Mas el mismo Dios, que socorre a los afligidos, viéndome
en tal estrecho, trajo a mi memoria un pequeño
remedio. Que considerando entre mí, dije:

"Este arquetón es viejo y grande y roto por
algunas partes, aunque pequeños agujeros. Pué-
dese pensar que ratones, entrando en él, hacen
daño a este pan. Sacarlo entero no es cosa conveniente, porque verá la falta el que en tanta me
hace vivir. Esto bien se sufre."

Y comienzo a desmigar el pan sobre unos no
muy costosos manteles que allí estaban, y tomo
uno y dejo otro, de manera que en cada cual de
tres o cuatro desmigajé su poco. Después, como
quien toma gragea, lo comí, y algo me consolé.
Mas él, como viniese a comer y abriese el arca,
vio el mal pesar, y sin duda creyó ser ratones los
que el daño habían hecho. Porque estaba muy al
propio contrahecho de como ellos lo suelen hacer.
Miró todo el arcaz de un cabo a otro y vióle ciertos agujeros, por do sospechaba habían entrado.
Llamóme, diciendo:

—¡Lázaro! ¡Mira, mira, qué persecución ha venido aquesta noche por nuestro pan!

Yo híceme muy maravillado, preguntándole qué sería.

—¡Qué ha de ser! —dijo él—. Ratones que no dejan cosa a vida.

Pusímonos a comer, y quiso Dios que aun en esto me fue bien. Que me cupo más pan que la lacería que me solía dar. Porque rayó con un cuchillo todo lo que pensó ser ratonado, diciendo:

—Cómete eso, que el ratón cosa limpia es.

Y así, aquel día, añadiendo la ración del trabajo de mis manos, o de mis uñas, por mejor decir, acabamos de comer, aunque yo nunca empezaba.

Y luego me vino otro sobresalto, que fue verle andar solícito quitando clavos de las paredes y buscando tablillas, con las cuales clavó y cerró todos los agujeros de la vieja arca.

"¡Oh Señor mío! —dije yo entonces—. ¡A cuánta miseria y fortuna y desastres estamos puestos los nacidos y cuán poco duran los placeres desta nuestra trabajosa vida! Heme aquí que pensaba con este pobre y triste remedio remediar y pasar mi lacería y estaba ya cuanto que alegre y de buena ventura. Mas no quiso mi desdicha, despertando a este lacerado de mi amo y poniéndole más diligencia de la que él de suyo se tenía (pues los míseros por la mayor parte nunca de aquélla carecen), agora, cerrando los agujeros del arca, cerrase la puerta a mi consuelo y la abriese a mis trabajos."

Así lamentaba yo, en tanto que mi solícito carpintero, con muchos clavos y tablillas, dio fin a sus obras diciendo:

—Agora, donos traidores ratones, conviéneos mudar propósito, que en esta casa mala medra tenéis.

De que salió de su casa, voy a ver la obra, y hallé que no dejó en la triste y vieja arca agujero ni aun por donde le pudiese entrar un mosquito. Abro con mi desaprovechada llave, sin esperanza de sacar provecho, y vi los dos o tres panes comenzados, los que mi amo creyó ser ratonados, y de ellos todavía saqué alguna lacería, tocándolos muy ligeramente, a uso de esgremidor diestro. Como la necesidad sea tan gran maestra, viéndome con tanta siempre, noche y día estaba pensando la manera que tenía en sustentar el vivir. Y pienso, para hallar estos negros remedios, que me era luz la hambre, pues dicen que el ingenio con ella se aviva y al contrario con la hartura, y así era por cierto en mí.

Pues estando una noche desvelado en este pensamiento, pensando cómo me podría valer y aprovecharme del arcaz, sentí que mi amo dormía, porque lo mostraba con roncar y en unos resoplidos grandes que daba cuando estaba durmiendo. Levantéme muy quedito, y, habiendo en el día pensado lo que había de hacer y dejado un cuchillo viejo que por allí andaba en parte do le hallase, voyme al triste arcaz, y por do había mirado tener menos defensa le acometí con el cuchillo, que a manera de barreno dél usé. Y como la antiquísima arca, por ser de tantos años, la hallase sin fuerza y corazón, antes muy blanda y carcomida, luego se me rindió y consintió en su costado, por mi remedio, un buen agujero. Esto hecho, abro muy paso la llagada arca y, al tiento, del pan, que hallé partido, hice según deyuso está escrito. Y con aquello algún tanto consolado, tornando a cerrar, me volví a mis pajas, en las cuales reposé y dormí un poco.

Lo cual yo hacía mal y echábalo al no comer. Y así sería, porque cierto en aquel tiempo no me debían de quitar el sueño los cuidados del rey de Francia.

Otro día fue por el señor mi amo visto el daño así del pan como del agujero que yo había hecho, y comenzó a dar al diablo los ratones y decir:

—¿Qué diremos a esto? ¡Nunca haber sentido ratones en esta casa sino agora!

Y sin duda debía de decir verdad. Porque si casa había de haber en el reino justamente de ellos privilegiada, aquélla de razón había de ser, porque no suelen morar donde no hay qué comer. Torna a buscar clavos por la casa y por las paredes y tablillas y a tapárselos. Venida la noche y en reposo, luego era yo puesto en pie con mi aparejo, y cuantos él tapaba de día destapaba yo de noche.

En tal manera fue y tal prisa nos dimos, que sin duda por esto debió decir: "Donde una puerta se cierra, otra se abre". Finalmente, parecíamos tener a destajo la tela de Penélope, pues cuanto él tejía de día rompía yo de noche. Y en pocos días y noches pusimos la pobre despensa de tal forma que quien quisiera propiamente de ella hablar, más corazas viejas de otro tiempo que no arcaz la llamara, según la clavazón y tachuelas sobre sí tenía.

De que vio no le aprovechar nada su remedio dijo:

—Este arcaz está tan maltratado y es de madera tan vieja y flaca, que no habrá ratón a quien se defienda. Y va ya tal, que si andamos más con él nos dejará sin guarda. Y aun lo peor que, aunque hace poca todavía hará falta faltando y me pondrá en costa de tres o cuatro reales. El mejor remedio que hallo, pues el de hasta aquí no aprovecha, armaré por de dentro a estos ratones malditos.

Luego buscó prestada una ratonera, y con cortezas de queso que a los vecinos pedía, contino el gato estaba armado dentro del arca. Lo cual era para mí singular auxilio. Porque, puesto caso que yo no había menester muchas salsas para comer, todavía me holgaba con las cortezas del queso que de la ratonera sacaba, y sin esto no perdonaba el ratonar del bodigo.

Como hallase el pan ratonado y el queso comido y no cayese el ratón que lo comía, dábase al diablo, preguntaba a los vecinos qué podría ser comer el queso y sacarlo de la ratonera y no caer ni quedar dentro el ratón y hallar caída la trampilla del gato.

Acordaron los vecinos no ser el ratón que este daño hacía, porque no fuera menos de haber caído alguna vez. Díjole un vecino:

—En vuestra casa yo me acuerdo que solía andar una culebra, y ésta debe de ser, sin duda. Y lleva razón, que como es larga, tiene lugar de tomar el cebo, y aunque la coja la trampilla encima, como no entra toda dentro, tórnase a salir.

Cuadró a todo lo que aquél dijo y alteró mucho a mi amo, y dende en adelante no dormía tan a sueño suelto. Que cualquier gusano de la madera que de noche sonase pensaba ser la culebra que le roía el arca. Luego era puesto en pie, y con un garrote que a la cabecera, desde que aquello le dijeron, ponía, daba en la pecadora del arca grandes garrotazos, pensando espantar la culebra. A los vecinos despertaba con el estruendo que hacía y a mí no me dejaba dormir. Íbase a mis pajas y trastornábalas, y a mí con ellas, pensando que se iba para mí y se envolvía en mis pajas o en mi sayo. Porque le decían que de noche

acaecía a estos animales, buscando calor, irse a
las cunas donde están criaturas y aun morderlas
y hacerles peligrar.

Yo las más de las veces hacía del dormido, y
en la mañana decíame él:

—¿Esta noche, mozo, no sentiste nada? Pues
tras la culebra anduve, y aun pienso se ha de ir
para ti a la cama, que son muy frías y buscan
calor.

—Plega a Dios que no me muerda —decía yo—,
que harto miedo le tengo.

Desta manera andaba tan elevado y levantado
del sueño, que, mi fe, la culebra, o culebro, por
mejor decir, no osaba roer de noche ni levantarse
al arca; mas de día mientras estaba en la iglesia
o por el lugar hacía mis saltos. Los cuales daños
viendo él, y el poco remedio que les podía poner,
andaba de noche, como digo, hecho trasgo.

Yo hube miedo que con aquellas diligencias no
me topase con la llave, que debajo de las pajas
tenía, y parecióme lo más seguro meterla de noche
en la boca. Porque ya, desde que viví con el ciego,
la tenía tan hecha bolsa, que me acaeció tener en
ella doce o quince maravedíes, todo en medias
blancas, sin que me estorbasen el comer. Porque
de otra manera no era señor de una blanca que
el maldito ciego no cayese con ella, no dejando
costura ni remiendo que no me buscaba muy a
menudo.

Pues así como digo, metía cada noche la llave

en la boca y dormía sin recelo que el brujo de mi
amo cayese con ella; mas cuando la desdicha ha
de venir, por demás es la diligencia. Quisieron
mis hados, o por mejor decir, mis pecados, que
una noche que estaba durmiendo, la llave se me
puso en la boca, que abierta debía tener, de manera y tal postura, que el aire y resoplo que yo
durmiendo echaba salía por lo hueco de la llave,
que de cañuto era, y silbaba, según mi desastre
quiso, muy recio, de tal manera, que el sobresal-
tado de mi amo lo oyó y creyó sin duda ser el
silbo de la culebra, y cierto lo debía parecer.

Levantóse muy paso, con su garrote en la mano,
y al tiento y sonido de la culebra se llegó a mí con
mucha quietud por no ser sentido de la culebra.
Y como cerca se vio, pensó que allí, en las pajas
donde yo estaba echado, al calor mío, se había venido. Levantando bien el palo, pensando tenerla
debajo y darle tal garrotazo que la matase, con
toda su fuerza me descargó en la cabeza un tan
gran golpe, que sin ningún sentido y muy mal
descalabrado me dejó.

Como sintió que me había dado, según yo debía
hacer gran sentimiento con el fiero golpe, contaba él que se había llegado a mí y, dándome grandes voces llamándome, procuró recordarme. Mas
como me tocase con las manos, tentó la mucha
sangre que se me iba, y conoció el daño que me
había hecho. Y con mucha prisa fue a buscar
lumbre, y, llegando con ella, hallóme quejando,

todavía con mi llave en la boca, que nunca la desamparé, la mitad fuera, bien de aquella manera que debía estar al tiempo que silbaba con ella.

Espantado el matador de culebras qué podía ser aquella llave, miróla, sacándomela del todo de la boca, y vio lo que era, porque en las guardas nada de la suya diferenciaba. Fue luego a probarla, y con ella probó el maleficio.

Debió de decir el cruel cazador:

"El ratón y culebra que me daban guerra y me comían mi hacienda he hallado".

De lo que sucedió en aquellos tres días siguientes ninguna fe daré, porque los tuve en el vientre de la ballena; mas de cómo esto que he contado oí, después que en mí torné, decir a mi amo, el cual a cuantos allí venían lo contaba por extenso.

Al cabo de tres días yo torné en mi sentido, y vime echado en mis pajas, la cabeza toda emplastada y llena de aceites y ungüentos, y, espantado, dije:

—¿Qué es esto?

Respondióme el cruel sacerdote:

—A fe que los ratones y culebras que me destruían ya los he cazado.

Y miré por mí, y vime tan maltratado que luego sospeché mi mal.

A esta hora entró una vieja que ensalmaba, y los vecinos. Y comiénzanme a quitar trapos de la cabeza y curar el garrotazo. Y como me hallaron vuelto en mi sentido holgáronse mucho, y dijeron:

—Pues ha tornado en su acuerdo, placerá a Dios no será nada.

Y tornaron de nuevo a contar mis cuitas y a reírlas, y yo pecador, a llorarlas. Con todo esto, diéronme de comer, que estaba transido de hambre, y apenas me pudieron remediar. Y así, de poco en poco, a los quince días me levanté y estuve sin peligro —mas no sin hambre— y medio sano.

Luego, otro día que fui levantado, el señor mi amo me tomó por la mano y sacóme la puerta afuera, y, puesto en la calle, díjome:

—Lázaro: de hoy más eres tuyo y no mío. Busca amo y vete con Dios. Que yo no quiero en mi compañía tan diligente servidor. No es posible sino que hayas sido mozo de ciego.

Y santiguándose de mí, como si yo estuviera endemoniado, se torna a meter en casa y cierra su puerta.

TRATADO TERCERO

DE CÓMO LÁZARO SE ASENTÓ CON UN ESCUDERO,
Y DE LO QUE LE ACONTECIÓ CON ÉL

De esta manera me fue forzado sacar fuerzas de flaqueza y poco a poco, con ayuda de las buenas gentes, di conmigo en esta insigne ciudad de Toledo, adonde, con la merced de Dios, dende a quince días se me cerró la herida. Y mientras estaba malo siempre me daban alguna limosna; mas después que estuve sano, todos me decían:

—Tú bellaco y gallofero eres. Busca, busca un buen amo a quien sirvas.

—¿Y adónde se hallará ése —decía yo entre mí—, si Dios ahora de nuevo, como crió el mundo, no lo criase?

Andando así discurriendo de puerta en puerta, con harto poco remedio, porque ya la caridad se subió al cielo, topóme Dios con un escudero que iba por la calle, con razonable vestido, bien peinado, su paso y compás en orden. Miróme, y yo a él, y díjome:

—Muchacho: ¿buscas amo?

Yo le dije:

—Sí, señor.

—Pues vente tras mí —me respondió—, que
Dios te ha hecho merced en topar conmigo. Alguna buena oración rezaste hoy.

Y seguíle, dando gracias a Dios por lo que le
oí, y también que me parecía, según su hábito y
continente ser el que yo había menester.

Era de mañana cuando este mi tercero amo
topé. Y llevóme tras sí gran parte de la ciudad.
Pasábamos por las plazas donde se vendía pan
y otras provisiones. Yo pensaba, y aun deseaba,
que allí me quería cargar de lo que se vendía,
porque ésta era propia hora cuando se suele proveer de lo necesario; mas muy a tendido paso
pasaba por estas cosas.

"Por ventura no lo ve aquí a su contento
—decía yo— y querrá que lo compremos en otro
cabo".

Desta manera anduvimos hasta que dio las
once. Entonces se entró en la iglesia mayor, y
yo tras él, y muy devotamente le vi oír misa
y los otros oficios divinos, hasta que todo fue
acabado y la gente ida. Entonces salimos de la
iglesia.

A buen paso tendido comenzamos a ir por una
calle abajo. Yo iba el más alegre del mundo en
ver que no nos habíamos ocupado en buscar
de comer. Bien consideré que debía ser hombre
mi nuevo amo que se proveía en junto y que ya

la comida estaría a punto y tal como yo la deseaba
y aun la había menester.

En este tiempo dio el reloj la una después de
mediodía, y llegamos a una casa, ante la cual
mi amo se paró, y yo con él, y, derribando el
cabo de la capa sobre el lado izquierdo, sacó una
llave de la manga y abrió su puerta y entramos
en casa. La cual tenía la entrada obscura y lóbrega de tal manera, que parecía que ponía temor
a los que en ella entraban, aunque dentro de
ella estaba un patio pequeño y razonables cá-
maras.

Desque fuimos entrados quita de sobre sí su
capa y, preguntando si tenía las manos limpias, la
sacudimos y doblamos y, muy limpiamente, so-
plando un poyo que allí estaba, la puso en él.
Y hecho esto, sentóse cabo en ella, preguntándome muy por extenso de dónde era y cómo había
venido a aquella ciudad.

Y yo le di más larga cuenta que quisiera porque me parecía más conveniente hora de mandar
poner la mesa y escudillar la olla que de lo que
me pedía. Con todo esto, yo le satisfice de mi
persona lo mejor que mentir supe, diciendo mis
bienes y callando lo demás, porque me parecía
no ser para en cámara. Esto hecho, estuvo así un
poco, y yo luego vi mala señal, por ser ya casi
las dos y no verle más aliento de comer que a
un muerto.

Después desto, consideraba aquel tener cerrada

la puerta con llave ni sentir arriba ni abajo pasos de viva persona por la casa. Todo lo que yo había visto eran paredes, sin ver en ella silleta, ni tajo, ni banco, ni mesa, ni aun tal arcaz como el de marras. Finalmente, ella parecía estar encantada. Estando así, díjome:

—Tú, mozo, ¿has comido?

—No, señor —dije yo—, que aun no eran dadas las ocho cuando con vuestra merced encontré.

—Pues, aunque de mañana, yo había almorzado y, cuando así como algo, hágote saber que hasta la noche estoy así. Por eso, pásate como pudieres, que después cenaremos.

Vuestra merced crea, cuando esto lo oí, que estuve en poco de caer de mi estado, no tanto de hambre como por conocer de todo en todo la fortuna serme adversa. Allí se me representaron de nuevo mis fatigas y torné a llorar mis trabajos. Allí se me vino a la memoria la consideración que hacía cuando me pensaba ir del clérigo, diciendo que, aunque aquél era desventurado y mísero, por ventura toparía con otro peor. Finalmente, allí lloré mi trabajosa vida pasada y mi cercana muerte venidera.

Y con todo, disimulando lo mejor que pude, dije:

—Señor, mozo soy, que no me fatigo mucho por comer, bendito Dios. Deso me podré yo alabar entre todos mis iguales por de mejor garganta, y así fui yo loado della hasta hoy día de los amos que yo he tenido.

—Virtud es ésa —dijo él—, y por eso te querré yo más. Porque el hartar es de los puercos y el comer regladamente es de los hombres de bien.

"¡Bien te he entendido!" —dije yo entre mí—. ¡Maldita tanta medicina y bondad con aquestos mis amos que yo hallo hallan en la hambre!"

Púseme a un cabo del portal y saqué unos pedazos de pan del seno, que me habían quedado de los de por Dios. Él, que vio esto, díjome:

—Ven acá, mozo. ¿Qué comes?

Yo lleguéme a él y mostréle el pan. Tomóme él un pedazo de tres que eran: el mejor y más grande. Y díjome:

—Por mi vida, que parece éste buen pan.

—¡Y cómo! ¿Agora —dije yo—, señor, es bueno?

—Sí, a fe —dijo él—. ¿Adónde lo hubiste? ¿Si es amasado de manos limpias?

—No sé yo eso —le dije—; mas a mí no me pone asco el sabor dello.

—Así plega a Dios —dijo el pobre de mi amo.

Y llevándolo a la boca, comenzó a dar en él tan fieros bocados como yo en lo otro.

—Sabrosísimo pan está —dijo—, por Dios.

Y como le sentí de qué pie coxqueaba, dime priesa. Porque le vi en disposición, si acababa antes que yo, se comediría a ayudarme a lo que me quedase. Y con eso acabamos casi a una.

Y mi amo comenzó a sacudir con las manos unas pocas de migajas, y bien menudas, que en los pechos se le habían quedado. Y entró en una camareta que allí estaba y sacó un jarro desbocado y no muy lleno, y desque hubo bebido convidóme con él. Yo, por hacer el continente, dije:

—Señor, no bebo vino.

—Agua es —respondió—. Bien puedes beber.

Entonces tomé el jarro y bebí. No mucho, porque de sed no era mi congoja.

Así estuvimos hasta la noche, hablando en cosas, que me preguntaba, a las cuales yo le respondí lo mejor que supe. En este tiempo metióme en la cámara donde estaba el jarro de que bebimos y díjome:

—Mozo: párate allí y verás cómo hacemos esta cama, para que la sepas hacer de aquí adelante.

Púseme en un cabo y él del otro e hicimos la negra cama. En la cual no había mucho que hacer. Porque ella tenía sobre unos bancos un cañizo, sobre el cual estaba tendida la ropa encima de un negro colchón. Que por no estar muy continuado a lavarse no parecía colchón, aunque servía de él, con harta menos lana que era menester. Aquél tendimos, haciendo cuenta de ablandarle. Lo cual era imposible, porque de lo duro mal se puede hacer blando. El diablo del enjalma maldita la cosa tenía dentro de sí. Que puesto sobre el cañizo, todas las cañas se señalaban y parecían a lo propio entrecuesto de flaquísimo puerco. Y sobre aquel hambriento colchón, un alfamar del mismo jaez, del cual el color yo no pude alcanzar.

Hecha la cama y la noche venida, díjome:

—Lázaro: ya es tarde y de aquí a la plaza hay gran trecho. También, en esta ciudad andan muchos ladrones, que siendo de noche capean. Pasemos como podamos y mañana, venido el día, Dios hará merced. Porque yo, por estar solo, no estoy proveído; antes he comido estos días por allá fuera. Mas agora hacerlo hemos de otra manera.

—Señor: de mí —dije yo— ninguna pena tenga vuestra merced, que sé pasar una noche y aun más, si es menester, sin comer.

—Vivirás más y más sano —me respondió—. Porque, como decíamos hoy, no hay tal cosa en el mundo para vivir mucho que comer poco.

"Si por esa vía es —dije entre mí—, nunca yo moriré, que siempre he guardado esa regla por fuerza, y aun espero, en mi desdicha, tenerla toda la vida".

Y acostóse en la cama, poniendo por cabecera las calzas y el jubón. Y mandóme echar a sus pies, lo cual yo hice. Mas maldito el sueño que yo dormí. Porque las cañas y mis salidos huesos en toda la noche dejaron de rifar y encenderse. Que con mis trabajos, males y hambres, pienso que en mi cuerpo no había libra de carne, y también, como aquel día no había comido casi nada, rabiaba de hambre, la cual con el sueño no tenía amistad. Maldíjeme mil veces (Dios me lo perdone) y a mi ruin fortuna, allí, lo más de la noche, y, lo peor, no osándome revolver por no despertarle, pedí a Dios muchas veces la muerte.

La mañana venida, levantámonos, y comienza a limpiar y sacudir sus calzas y jubón, sayo y capa. Y yo, que le servía de pelillo. Y vístese muy a su placer, de espacio. Echéle aguamanos, peinóse y puso su espada en el talabarte, y al tiempo que la ponía, díjome:

—¡Oh, si supieses, mozo, qué pieza es ésta! No hay marco de oro en el mundo por que yo la diese. Mas así, ninguna de cuantas Antonio hizo no acertó a ponerle los aceros tan prestos como ésta los tiene.

Y sacóla de la vaina y tentóla con los dedos, diciendo:

—¿Vesla aquí? Yo me obligo con ella a cercenar un copo de lana.

Y yo dije entre mí:

"Y yo con mis dientes, aunque no son de acero, un pan de cuatro libras."

Tornóla a meter y ciñósela, y un sartal de cuentas gruesas del talabarte. Y con un paso sosegado y el cuerpo derecho haciendo con él y con la cabeza muy gentiles meneos, echando el cabo de la capa sobre el hombro y a veces so el brazo, y poniendo la mano derecha en el costado, salió por la puerta diciendo:

—Lázaro: mira por la casa en tanto que voy a oír misa, y haz la cama y ve por la vasija de agua al río, que aquí bajo está, y cierra la puerta con llave, no nos hurten algo, y ponla aquí al quicio, por si yo viniese en tanto pueda entrar.

Y súbese por la calle arriba con tan gentil semblante y continente, que quien no le conociera pensara ser muy cercano pariente del conde de Alarcos, o a lo menos camarero que le daba de vestir.

"¡Bendito seáis vos, Señor —quedé yo diciendo—, que dais la enfermedad y ponéis el remedio! ¿Quién encontrará a aquel mi señor, que no piense, según el contento de sí lleva, haber anoche bien cenado y dormido en buena cama, y, aunque agora es de mañana, no le cuenten por muy bien almorzado? ¡Grandes secretos son, Señor, los que vos hacéis y las gentes ignoran! ¿A quién no engañara aquella buena disposición y razonable capa y sayo? ¿Y quién pensara que aquel gentil hombre se pasó ayer todo el día sin comer, con aquel mendrugo de pan que su criado Lázaro trajo un día y una noche en el arca de su seno, do no se le podía pegar mucha limpieza, y hoy, lavándose las manos y cara, a falta de paño de manos se hacía servir de la halda del sayo? Nadie por cierto lo sospechara. ¡Oh, Señor, y cuántos de aquestos debéis vos tener por el mundo derramados, que padecen por la

negra que llaman honra lo que por Vos no sufri-
rían!"

Así estaba yo a la puerta, mirando y considerando estas cosas y otras muchas, hasta que el
señor mi amo traspuso la larga y angosta calle.
Y como le vi trasponer, tornéme a entrar en casa,
y en un credo la anduve toda, alto y bajo, sin
hacer represa ni hallar en qué. Hago la negra
dura cama y tomo el jarro y doy conmigo en el
río, donde en una huerta vi a mi amo en gran
recuesta con dos rebozadas mujeres, al parecer
de las que en aquel lugar no hacen falta. Antes
muchas tienen por estilo de irse a las mañanicas
del verano a refrescar y almorzar, sin llevar qué,
por aquellas frescas riberas, con confianza que no
ha de faltar quien se lo dé, según las tienen
puesta en esta costumbre aquellos hidalgos del
lugar.

Y como digo, él estaba entre ellas, hecho un
Macías, diciéndoles más dulzuras que Ovidio es-
cribió. Pero como sintieron de él que estaba bien
enternecido, no se les hizo de vergüenza pedirle
de almorzar con el acostumbrado pago.

Él, sintiéndose tan frío de bolsa cuanto estaba
caliente del estómago, tomóle tal calofrío, que le
robó la calor del gesto y comenzó a turbarse en
la plática y a poner excusas no válidas.

Ellas, que debían ser bien instituidas, como

le sintieron la enfermedad, dejáronle para el que
era.

Yo, que estaba comiendo ciertos tronchos de
berzas, con los cuales me desayuné, con mucha
diligencia, como mozo nuevo, sin ser visto de mi
amo, torné a casa. De la cual pensé barrer alguna
parte, que era bien menester; mas no hallé con
qué. Púseme a pensar qué haría, y parecióme
esperar a mi amo hasta que el día demediase y
si viniese y por ventura trajese algo que comiése-
mos; mas en vano fue mi experiencia.

Desque vi ser las dos y no venía y la hambre
me aquejaba, cierro mi puerta y pongo la llave
do mandó y tórnome a mi menester. Con baja
y enferma voz e inclinadas mis manos en los
senos, puesto Dios ante mis ojos y la lengua en
su nombre, comienzo a pedir pan por las puertas y casas más grandes que me parecía. Mas
como yo este oficio le hubiese mamado en la
leche, quiero decir que con el gran maestro el
ciego lo aprendí, tan suficiente discípulo salí,
que aunque en este pueblo no había caridad ni
el año fuese muy abundante, tan buena maña
me di, que antes que el reloj diera las cuatro ya
yo tenía otras tantas libras de pan ensiladas en
el cuerpo y más de otras dos en las mangas y
senos. Volvíme a la posada y al pasar por la tri-
pería pedí a una de aquellas mujeres, y dióme
un pedazo de uña de vaca con otras pocas de
tripas cocidas.

Cuando llegué a casa, ya el bueno de mi amo estaba en ella, doblada su capa y puesta en el poyo y él paseándose por el patio. Como entro, vínose para mí. Pensé que me quería reñir la tardanza, mas mejor lo hizo Dios.

Preguntóme dó venía.

Yo le dije:

—Señor: hasta que dio las dos estuve aquí, y de que vi que vuestra merced no venía, fuime por esa ciudad a encomendarme a las buenas gentes, y hanme dado esto que veis.

Mostréle el pan y las tripas, que en un cabo de la halda traía, a la cual él mostró buen semblante, y dijo:

—Pues esperado te he a comer, y de que vi que no viniste, comí. Mas tú haces como hombre de bien en eso. Que más vale pedirlo por Dios que no hurtarlo. Y así Él me ayude como ello me parece bien, y solamente te encomiendo no sepan que vives conmigo, por lo que toca a mi honra. Aunque bien creo que será secreto, según lo poco que en este pueblo soy conocido. ¡Nunca a él yo hubiera de venir!

—Deso pierda, señor, cuidado —le dije yo—, que maldito aquel que ninguno tiene de pedirme esa cuenta ni yo de darla.

—Agora, pues, come, pecador. Que, si a Dios place, presto nos veremos sin necesidad. Aunque te digo que después que en esta casa entré nunca bien me ha ido. Debe ser de mal suelo.

Que hay casas desdichadas y de mal pie, que a los que viven en ellas pegan la desdicha. Ésta debe ser, sin duda, dellas; mas yo te prometo, acabado el mes, no quede en ella aunque me la den por mía.

Sentéme al cabo del poyo, y, porque no me tuviese por glotón, callé la merienda. Y comienzo a cenar y morder en mis tripas y pan, y disimuladamente miraba el desventurado señor mío, que no partía sus ojos de mis faldas, que aquella sazón servían de plato. Tanta lástima haya Dios de mí como yo había dél, porque sentí lo que sentía y muchas veces había por ello pasado y pasaba cada día. Pensaba si sería bien comedirme a convidalle; mas, por me haber dicho que había comido, temíame no aceptaría el convite. Finalmente, yo deseaba que aquel pecador ayudase a su trabajo del mío y se desayunase como el día antes hizo, pues había mejor aparejo, por ser mejor la vianda y menos mi hambre.

Quiso Dios cumplir mi deseo, y aun pienso que el suyo. Porque como comencé a comer y él se andaba paseando, llegóse a mí y díjome:

—Dígote, Lázaro que tienes en comer la mejor gracia que en mi vida vi a hombre y que nadie te lo verá hacer que no le pongas gana aunque no la tenga.

"La muy buena que tú tienes —dije yo entre mí— te hace parecer la mía hermosa".

Con todo, parecióme ayudarle, pues se ayudaba y me abría camino para ello y díjele:

—Señor: el buen aparejo hace buen artífice. Este pan está sabrosísimo y esta uña de vaca tan bien cocida y sazonada, que no habrá a quien no convide con su sabor.

—¿Uña de vaca es?

—Sí, señor.

—Dígote que es el mejor bocado del mundo y que no hay faisán que así me sepa.

—Pues pruebe, señor, y verá qué tal está.

Póngole en las uñas la otra y tres o cuatro raciones de pan de lo más blanco. Y asentándoseme al lado y comienza a comer como aquel que lo había gana, royendo cada huesecillo de aquellos mejor que un galgo suyo lo hiciera.

—Con almodrote —decía—, es este singular manjar.

—Con mejor salsa lo comes tú —respondí yo paso.

—Por Dios, que me ha sabido como si hoy no hubiera comido bocado.

"¡Así me vengan los buenos años como es ello!" —dije yo entre mí.

Pidióme el jarro del agua, y díselo como lo había traído. Es señal que, pues no le faltaba el agua, que no le había a mi amo sobrado la comida. Bebimos, y muy contentos nos fuimos a dormir, como la noche pasada.

Y por evitar prolijidad, de esta manera estuvimos ocho o diez días, yéndose el pecador en

la mañana con aquel contento y paso contado
a papar aire por las calles, teniendo en el pobre
Lázaro una cabeza de lobo.

Contemplaba yo muchas veces mi desastre: que,
escapando de los amos ruines que había tenido
y buscando mejoría, viniese a topar con quien
no sólo no me mantuviese, mas a quien yo había
de mantener. Con todo, le quería bien, con ver
que no tenía ni podía más. Y antes le había lástima que enemistad. Y muchas veces, por llevar
a la posada con que él lo pasase, yo lo pasaba
mal.

Porque una mañana, levantándose el triste en
camisa, subió a lo alto de la casa a hacer sus
menesteres, y en tanto, yo, por salir de sospecha, desenvolvíle el jubón y las calzas que a la
cabecera dejó, y hallé una bolsilla de terciopelo
raso, hecha cien dobleces y sin maldita la blanca
ni señal que la hubiese tenido mucho tiempo.

"Éste —decía yo— es pobre y nadie da lo que
no tiene; mas el avariento ciego, y el malaven-
turado mezquino clérigo, que, con dárselo Dios
a ambos, al uno de mano besada y al otro de
lengua suelta, me mataban de hambre, aquéllos
es justo desamar y aquéste de haber mancilla."

Dios me es testigo que hoy día, cuando topo
con alguno de su hábito con aquel paso y pom-
pa, le he lástima con pensar si padece lo que
aquél le vi sufrir. Al cual, con toda su pobreza,
holgaría de servir más que a los otros por lo que

he dicho. Sólo tenía dél un poco de descontento. Que quisiera yo que no tuviera tanta presunción; mas que abajara un poco su fantasía con lo mucho que sabía su necesidad. Mas, según me parece, es regla ya entre ellos usada y guardada. Aunque no haya cornado de trueco, ha de andar el birrete en su lugar. El Señor lo remedie, que ya con este mal han de morir.

Pues estando yo en tal estado, pasando la vida que digo, quiso mi mala fortuna, que de perseguirme no era satisfecha, que en aquella trabajada y vergonzosa vivienda no durase. Y fue, como el año en esta tierra fuese estéril de pan, acordaron el Ayuntamiento que todos los pobres extranjeros se fuesen de la ciudad, con pregón que el que de allí adelante topasen fuese punido con azotes. Y así, ejecutando la ley, desde a cuatro días que el pregón se dio, vi llevar una procesión de pobres azotados por las cuatro calles. La cual me puso tan gran espanto, que nunca osé desmandarme a demandar.

Aquí viera, quien verlo pudiera, la abstinencia de mi casa y la tristeza y silencio de los moradores; tanto, que nos acaeció estar dos o tres días sin comer bocado, ni hablaba palabra. A mí diéronme la vida unas mujercillas hilanderas de algodón, que hacían bonetes y vivían par de nosotros, con las cuales yo tuve vecindad y conocimiento. Que de la lacería que les traían me daban alguna cosilla, con la cual muy pasado me pasaba.

Y no tenía tanta lástima de mí como del lastimado de mi amo, que en ocho días maldito
el bocado que comió. A lo menos en casa, bien
lo estuvimos sin comer. No sé yo cómo o dónde
andaba y qué comía. ¡Y verle venir a mediodía
la calle abajo, con estirado cuerpo, más largo
que galgo de buena casta!

Y por lo que toca a su negra, que dicen, honra,
tomaba una paja, de las que aun asaz no había
en casa, y salía a la puerta escarbando los dientes,
que nada entre sí tenían, quejándose todavía de
aquel mal solar, diciendo:

—Malo está de ver, que la desdicha desta vivienda lo hace. Como ves, es lóbrega, triste,
obscura. Mientras aquí estuviéramos, hemos de
padecer. Ya deseo que se acabe este mes por salir
de ella.

Pues estando en tan afligida y hambrienta persecución, un día, no sé por cual dicha o ventura,
en el pobre poder de mi amo entró un real. Con el
cual él vino a casa tan ufano como si tuviera
el tesoro de Venecia, y con gesto muy alegre y
risueño me lo dio, diciendo:

—Toma, Lázaro, que Dios ya va abriendo su
mano: ve a la plaza, merca pan y vino y carne;
¡quebremos el ojo al diablo! Y más te hago saber,
por que te huelgues: que he alquilado otra casa
y en ésta desastrada no hemos de estar más de en
cumpliendo el mes. ¡Maldita esa ella y el que
en ella puso la primera teja, que con mal en ella
entré! Por nuestro Señor, cuanto ha que en ella

vivo, gota de vino ni bocado de carne no he comido ni he habido descanso ninguno; mas ¡tal
vista tiene y tal obscuridad y tristeza! Ve y ven
presto, y comamos hoy como condes.

Tomo mi real y jarro y, a los pies dándoles
priesa, comienzo a subir mi calle, encaminando
mis pasos para la plaza, muy contento y alegre.
Mas, ¡qué me aprovecha si está constituido en
mi triste fortuna que ningún gozo me venga sin
zozobra! Y así fue éste. Porque, yendo la calle
arriba, echando mi cuenta en lo que le emplearía
que fuese mejor y más provechosamente gastado,
dando infinitas gracias a Dios que a mi amo había
hecho con dinero, a deshora me vino al encuentro
un muerto, que por la calle abajo muchos clérigos
y gente en unas andas traían.

Arriméme a la pared, por darle lugar, y desque el cuerpo pasó, venía luego a par del lecho
una que debía ser mujer del difunto, cargada de
luto, y con ella otras muchas mujeres; la cual iba
llorando a grandes voces y diciendo:

—Marido y señor mío: ¿adónde os me llevan?
¡A la casa triste y desdichada, a la casa lóbrega
y obscura, a la casa donde nunca comen ni beben!

Yo que aquello oí, juntóseme el cielo con la
tierra y dije:

"¡Oh, desdichado de mí! Para mi casa llevan
este muerto."

Dejo el camino que me llevaba y hendí por medio de la gente, y vuelvo por la calle abajo, a

todo el más correr que pude, para mi casa. Y, entrando en ella, cierro a grande priesa, invocando el auxilio y favor de mi amo, abrazándome dél, que me venga a ayudar y a defender la entrada. El cual, algo alterado, pensando que fuese otra cosa, me dijo:

—¿Qué es eso, mozo? ¿Qué voces das? ¿Qué has? ¿Por qué cierras la puerta con tal furia?

—¡Oh, señor —dije yo—: acuda aquí, que nos traen acá un muerto!

—¿Cómo así? —respondió él.

—Aquí arriba lo encontré, y venía diciendo su mujer: "Marido y señor mío: ¿adónde os llevan? ¡A la casa lóbrega y obscura, a la casa triste y desdichada, a la casa donde nunca comen ni beben!" Acá, señor, nos le traen.

Y ciertamente, cuando mi amo esto oyó, aunque no tenía por qué estar muy risueño, rio tanto, que en muy gran rato estuvo sin poder hablar. En este tiempo tenía yo echada la aldaba a la puerta y puesto el hombro en ella por más defensa. Pasó la gente con su muerto, y yo todavía me recelaba que nos le habían de meter en casa. Y después fue ya más harto de reír que de comer el bueno de mi amo díjome:

—Verdad es, Lázaro; según la viuda lo va diciendo, tú tuviste razón de pensar lo que pensaste; mas, pues Dios lo ha hecho mejor y pasan adelante, abre, abre y ve por de comer.

—Déjalos, señor, acaben de pasar la calle —dije yo.

Al fin vino mi amo a la puerta de la calle y
ábrela esforzándome, que bien era menester, según el miedo y alteración, y me tornó a encami-
nar. Mas aunque comimos bien aquel día, maldito
el gusto yo tomaba en ello. Ni en aquellos tres
días torné en mi color. Y mi amo, muy risueño
todas las veces que se le acordaba aquella mi consideración.

Desta manera estuve con mi tercero y pobre
amo, que fue este escudero, algunos días, y en
todos deseando saber la intención de su venida
y estada en esta tierra. Porque desde el primer
día que con él me asenté le conocí ser extranjero, por el poco conocimiento y trato que con los
naturales della tenía.

Al fin se cumplió mi deseo y supe lo que deseaba. Porque un día que habíamos comido ra-
zonablemente y estaba algo contento, contóme
su hacienda, y díjome ser de Castilla la Vieja
y que había dejado su tierra no más de por no
quitar el bonete a un caballero su vecino.

—Señor —dije yo—: si él era lo que decís y
tenía más que vos, ¿no errábades en no quitárselo primero, pues decís que él también os lo
quitaba?

—Sí es y sí tiene y también me lo quitaba él a
mí; mas, de cuantas veces yo se le quitaba primero, no fuera malo comedirse él alguna y ganar-
me por la mano.

—Parésceme, señor —le dije yo—, que en eso no mirara, mayormente con mis mayores que yo y que tienen más.

—Eres muchacho —me respondió— y no sientes las cosas de la honra, en que el día de hoy está todo el caudal de los hombres de bien. Pues te hago saber que yo soy, como ves, un escudero; mas vótote a Dios, si al conde topo en la calle y no me quita muy bien quitado del todo el bonete, que otra vez que venga me sepa yo entrar en una casa, fingiendo yo en ella algún negocio, o atravesar otra calle, si la hay, antes que llegue a mí, por no quitárselo. Que un hidalgo no debe a otro que a Dios y al rey nada, ni es justo, siendo hombre de bien, se descuide un punto de tener en mucho su persona. Acuérdome que un día deshonré en mi tierra a un oficial y quise poner en él las manos porque cada vez que le topaba me decía: "Mantenga Dios a vuestra merced." "Vos, don villano ruin —le dije yo—; ¿por qué no sois bien criado? ¿«Manténgaos Dios» me habéis de decir, como si fuese quienquiera?" De allí adelante, de aquí acullá, me quitaba el bonete y hablaba como debía.

—¿Y no es buena manera de saludar un hombre a otro —dije yo— decirle que le mantenga Dios?

—¡Mira mucho de enhoramala! —dijo él—. A los hombres de poca arte dicen eso; mas a los

más altos, como yo, no les han de hablar menos
de: "Beso las manos de vuestra merced", o, por
lo menos: "Bésoos, señor, las manos", si el que
me habla es caballero. Y así, aquel de mi tierra
que me atestaba de mantenimiento nunca más
le quise sufrir, ni sufriría, ni sufriré a hombre
del mundo, del rey abajo, que "Manténgaos Dios"
me diga.

"Pecador de mí —dije yo—, por eso tiene tan
poco cuidado de mantenerte, pues no sufre que
nadie se lo ruegue."

—Mayormente —dijo— que no soy tan pobre
que no tengo en mi tierra un solar de casas que,
a estar ellas en pie y bien labradas, diez y seis
leguas de donde nací, en aquella costanilla de
Valladolid, valdrían más de doscientas veces mil
maravedíes, según se podrían hacer grandes y
buenas. Y tengo un palomar, que, a no estar derribado como está, daría cada año más de dos-
cientos palominos. Y otras cosas que me callo,
que dejé por lo que tocaba a mi honra. Y vine
a esta ciudad pensando que hallaría un buen
asiento; mas no me ha sucedido como pensé.
Canónigos y señores de la Iglesia muchos hallo;
mas es gente tan limitada, que no los sacarán
de su paso todo el mundo. Caballeros de media
talla también me ruegan; mas servir con éstos
es gran trabajo. Porque de hombre os habéis
de convertir en malilla, y si no "Andá con Dios"
os dicen. Y las más veces son los pagamentos a

largos plazos, y las más y las más ciertas comido
por servido. Ya, cuando quieren reformar conciencia y satisfaceros vuestros sudores, sois li-
brados en la recámara, en un sudado jubón o
raída capa o sayo. Ya, cuando asienta un hombre con un señor de título, todavía pasa su laceria. ¿Pues por ventura, no hay en mí habilidad
para servir y contentar a éstos? Por Dios, si
con él topase, muy gran su privado pienso que
fuese y que mil servicios le hiciese, porque yo
sabría mentille tan bien como otro y agradalle
a las mil maravillas. Reírle hía[1] mucho sus
donaires y costumbres, aunque no fuesen las
mejores del mundo. Nunca decirle cosa que le
pesase, aunque mucho le cumpliese. Ser muy diligente en su persona, en dicho y hecho. No me
matar por no hacer bien las cosas que él no había
de ver. Y ponerme a reñir, donde lo oyese, con
la gente de servicio, porque pareciese tener gran
cuidado de lo que a él tocaba. Si riñese con algún
su criado, dar unos puntillos agudos para le en-
cender la ira y que pareciesen en favor del culpado. Decirle bien de lo que bien le estuviese y,
por el contrario, ser malicioso, mofador, mal-
sinar a los de casa y a los de afuera, pesquisar
y procurar de saber vidas ajenas para contár-
selas, y otras muchas galas de esta calidad, que
hoy día se usan en palacio y a los señores dél

---

[1] Reírle hía: le reiría.

parecen bien. Y no quieren ver en sus casas hombres virtuosos; antes los aborrecen y tienen en poco y llaman necios y que no son personas de negocios ni con quien el señor se puede descuidar. Y con éstos los astutos usan, como digo, el día de hoy, de lo que yo usaría; mas no quiere mi ventura que le halle.

Desta manera lamentaba también su adversa fortuna mi amo, dándome relación de su persona valerosa.

Pues, estando en esto, entró por la puerta un hombre y una vieja. El hombre le pide el alquiler de la casa y la vieja el de la cama. Hacen cuenta, y de los dos meses le alcanzaron lo que él en un año no alcanzara. Pienso que fueron doce o trece reales. Y él les dio buena respuesta: que saldría a la plaza a trocar una pieza de a dos y que a la tarde volviesen; mas su salida fue sin vuelta.

Por manera que a la tarde volvieron; mas fue tarde. Yo les dije que aún no era venido. Venida la noche y él no, yo hube miedo de quedar en casa solo y fuime a las vecinas y contéles el caso, y allí dormí.

Venida la mañana, los acreedores vuelven y preguntan por el vecino; mas a estotra puerta. Las mujeres le responden:

—Veis aquí su mozo y la llave de la puerta.

Ellos me preguntaron por él, y díjeles que no sabía a dónde estaba y que tampoco había vuelto a casa desde que salió a trocar la pieza, y que pensaba que de mí y de ellos se había ido con el trueco.

De que esto me oyeron, van por un alguacil y un escribano. Y helos do vuelven luego con ellos, y toman la llave, y llámanme, y llaman testigos y abren la puerta, y entran a embargar la hacienda de mi amo hasta ser pagados de su deuda. Anduvieron toda la casa, y hallándonla desembarazada, como he contado, y dícenme:

—¿Qué es de la hacienda de tu amo: sus arcas y paños de pared y alhajas de casa?

—No sé yo eso —les respondí.

—Sin duda —dicen—, esta noche lo deben haber alzado y llevado a alguna parte. Señor alguacil: prended a este mozo, que él sabe dónde está.

En esto vino el alguacil y echóme mano por el collar del jubón, diciendo:

—Muchacho: tú eres preso si no descubres los bienes de tu amo.

Yo, como en otra tal no me hubiese visto —porque asido del collar sí había sido muchas e infinitas veces; mas era mansamente dél trabado, para que mostrase el camino al que no veía—, yo hube mucho miedo, y, llorando, prometíle de decir lo que preguntaban.

—Bien está —dicen ellos—. Pues di todo lo que sabes y no hayas temor.

Sentóse el escribano en un poyo para escribir el inventario, preguntándome qué tenía.

—Señores —dije yo—: lo que este mi amo tiene, según él me dijo, es un muy buen solar de casas y un palomar derribado.

—Bien está —dicen ellos—. Por poco que eso valga, hay para nos entregar de la deuda. ¿Y a qué parte de la ciudad tiene eso? —me preguntaron.

—En su tierra —les respondí.

—Por Dios, que está bueno el negocio —dijeron ellos—. ¿Y adónde es su tierra?

—De Castilla la Vieja me dijo él que era —les dije yo.

Riéronse mucho el alguacil y el escribano, diciendo:

—Bastante relación es ésta para cobrar vuestra deuda, aunque mejor fuese.

Las vecinas, que estaban presentes, dijeron:

—Señores: éste es un niño inocente y ha pocos días que está con ese escudero, y no sabe dél más que vuestras mercedes, sino cuando el pecadorcito se llega aquí a nuestra casa y le damos de comer lo que podemos, por amor de Dios, y a las noches se iba a dormir con él.

Vista mi inocencia, dejáronme, dándome por libre. Y el alguacil y el escribano piden al hombre y a la mujer sus derechos. Sobre lo cual tuvieron gran contienda y ruido. Porque ellos alegaron no ser obligados a pagar, pues no había de qué ni se hacía el embargo. Los otros decían que habían dejado de ir a otro negocio, que les importaba más, por venir a aquél.

Finalmente, después de dadas muchas voces, al cabo carga un porquerón con el viejo alfamar de la vieja, aunque no iba muy cargado. Allá van todos cinco dando voces. No sé en qué paró. Creo yo que el pecador alfamar pagara por todos. Y bien se empleaba, pues el tiempo que había de reposar y descansar de los trabajos pasados se andaba alquilando.

Así, como he contado, me dejó mi pobre tercero amo, do acabé de conocer mi ruin dicha. Pues, señalándose todo lo que podía contra mí, hacía mis negocios tan al revés, que los amos, que suelen ser dejados de los mozos, en mí no fue así, mas que mi amo me dejase y huyese de mí.

TRATADO CUARTO

CÓMO LÁZARO SE ASENTÓ CON UN FRAILE DE LA MERCED, Y DE LO QUE LE ACAECIÓ CON ÉL

Hube de buscar el cuarto, y éste fue un fraile de la Merced, que las mujercillas que digo me encaminaron. Al cual ellas le llamaban pariente. Gran enemigo del coro y de comer en el convento, perdido por andar fuera, amicísimo de negocios seglares y visitar. Tanto, que pienso que rompía él más zapatos que todo el convento. Éste me dio los primeros zapatos que rompí en mi vida; mas no me duraron ocho días. Ni yo pude con su trote durar más. Y por esto y por otras cosillas, que no digo, salí dél.

TRATADO QUINTO

CÓMO LÁZARO SE ASENTÓ CON UN BULDERO,
Y DE LAS COSAS QUE CON ÉL PASÓ

En el quinto por mi ventura di, que fue un
buldero, el más desenvuelto y desvergonzado y
el mejor echador dellas que jamás vi ni ver
espero, ni pienso que nadie vio. Porque tenía y
buscaba modos y maneras y muy sotiles inven-
ciones.

En entrando en los lugares do habían de pre-
sentar la bula, primero presentaba a los clérigos
o curas algunas cosillas, no tampoco de mucho
valor ni substancia: una lechuga murciana; si era
por el tiempo, un par de limas o naranjas, un
melocotón, un par de duraznos, cada sendas peras
verdiniales. Así procuraba tenerlos propicios, porque favoreciesen su negocio y llamasen sus feli-
greses a tomar la bula.

Ofreciéndosele a él las gracias, informábase
de la suficiencia dellos. Si decían que entendían,
no hablaba palabra en latín, por no dar trope-

zón; mas aprovechábase de un genial y bien cortado romance y desenvoltísima lengua. Y si sabía que los dichos clérigos eran de los reverendos, digo que con más con dineros que con letras y con reverendas se ordenan, hacíase entre ellos un santo Tomás y hablaba dos horas en latín. A lo menos, que lo parecía, aunque no lo era.

Cuando por bien no le tomaban las bulas, buscaba cómo por mal se las tomasen. Y para aquello hacía molestias al pueblo y otras veces con mañosos artificios. Y porque todos los que le veía hacer sería largo de contar, diré uno muy sotil y donoso, con el cual probaré bien su suficiencia.

En un lugar de la Sagra de Toledo había predicado dos o tres días, haciendo sus acostumbradas diligencias, y no le habían tomado bula, ni a mi ver tenían intención de se la tomar. Estaba dado al diablo con aquello, y pensando qué hacer, se acordó de convidar al pueblo para otro día de mañana despedir la bula.

Y esa noche, después de cenar, pusiéronse a jugar la colación él y el alguacil. Y sobre el juego vinieron a reñir y a haber malas palabras. Él llamó al alguacil ladrón, y el otro a él falsario. Sobre esto, el señor comisario, mi señor, tomó un lanzón que en el portal do jugaban estaba. El alguacil puso mano a su espada, que en la cinta tenía.

Al ruido y voces que todos dimos, acuden los huéspedes y vecinos y métense en medio. Y ellos, muy enojados, procurándose desembarazar de los que en medio estaban para se matar. Mas como la gente al gran ruido cargase y la casa estuviese llena della, viendo que no podían afrentarse con las armas, decíanse palabras injuriosas. Entre las cuales el alguacil dijo a mi amo que era falsario y las bulas que predicaba que eran falsas.

Finalmente, que los del pueblo, viendo que no bastaban a ponerlos en paz, acordaron de llevar el alguacil de la posada a otra parte. Y así quedó mi amo muy enojado. Y después que los huéspedes y vecinos le hubieron rogado que perdiese el enojo y se fuese a dormir, se fue, y así nos echamos todos.

La mañana venida, mi amo se fue a la iglesia y mandó tañer a misa y al sermón para despedir la bula. Y el pueblo se juntó. El cual andaba murmurando de las bulas, diciendo cómo eran falsas y que el mismo alguacil, riñendo, lo había descubierto. De manera que, tras que tenían mala gana de tomarla, con aquello del todo la aborrecieron.

El señor comisario se subió al púlpito y comienza su sermón y a animar la gente a que no quedasen sin tanto bien e indulgencia como la santa bula traía.

Estando en lo mejor del sermón, entra por la

puerta de la iglesia el alguacil, y desque hizo oración, levantóse, y, con voz alta y pausada, cuerdamente comenzó a decir:

—Buenos hombres: oídme una palabra, que después oiréis a quien quisiéredes. Yo vine aquí con este echacuervo que os predica. El cual me engañó y dijo que le favoreciese en este negocio y que partiríamos la ganancia. Y agora, visto el daño que haría a mi conciencia y a vuestras haciendas, arrepentido de lo hecho, os declaro claramente que las bulas que predica son falsas y que no le creáis ni las toméis, y que yo, directe ni indirecte, no soy parte en ellas, y que desde agora dejo la vara y doy con ella en el suelo. Y si en algún tiempo éste fuere castigado por la falsedad, que vosotros me seáis testigos cómo yo no soy con él ni le doy a ello ayuda, antes os desengaño y declaro su maldad.

Y acabó su razonamiento. Algunos hombres honrados que allí estaban se quisieron levantar y echar al alguacil fuera de la iglesia, para evitar escándalo. Mas mi amo les fue a la mano y mandó a todos que, so pena de excomunión, no le estorbasen; mas que le dejasen decir todo lo que quisiese. Y así, él también tuvo silencio mientras el alguacil dijo todo lo que he dicho.

Como calló, mi amo le preguntó si quería decir más, que lo dijese. El alguacil dijo:

—Harto hay más de decir de vos y de vuestra falsedad; mas por agora basta.

El señor comisario se hincó de rodillas en el púlpito, y, puestas las manos y mirando al cielo, dijo así:

—Señor Dios, a quien ninguna cosa es escondida, antes todas manifiestas, y a quien nada es imposible, antes todo posible: tú sabes la verdad y cuán injustamente yo soy afrentado. En lo que a mí toca, yo lo perdono, porque tú, Señor, me perdones. No mires a aquel que no sabe lo que hace ni dice; mas la injuria a ti hecha te suplico y por justicia te pido no disimules. Porque alguno que está aquí, que por ventura pensó tomar aquesta santa bula, dando crédito a las falsas palabras de aquel hombre lo dejará de hacer. Y, pues es tanto perjuicio del prójimo, te suplico yo, Señor, no lo disimules; mas luego muestra aquí milagro y sea desta manera: que si es verdad lo que aquél dice y que yo traigo maldad y falsedad, este púlpito se hunda conmigo y meta siete estados debajo de tierra, do él ni yo jamás parezcamos; y si es verdad lo que yo digo y aquél, persuadido del demonio, por quitar o privar a los que están presentes de tan gran bien, dice maldad, también sea castigado y de todos conocida su malicia.

Apenas había acabado su oración el devoto señor mío, cuando el negro alguacil cae de su estado y da tan gran golpe en el suelo, que la iglesia toda hizo resonar, y comenzó a bramar y echar espumajos por la boca y torcerla y hacer visajes con el gesto, dando de pie y de mano, revolviéndose por aquel suelo a una parte y a otra.

El estruendo y voces de la gente era tan grande, que no se oían unos a otros. Algunos estaban espantados y temerosos.

Unos decían: "El Señor le socorra y valga".

Otros: "Bien se le emplea, pues levantaba tan falso testimonio".

Finalmente, algunos que allí estaban, y a mi parecer no sin harto temor, se llegaron y le trabaron de los brazos, con los cuales daba fuertes puñadas a los que cerca dél estaban. Otros le tiraban por las piernas y tuvieron reciamente, porque no había mula falsa en el mundo que tan recias coces tirase.

Y así le tuvieron un gran rato. Porque más de quince hombres estaban sobre él y a todos daba las manos llenas y, si se descuidaban, en los hocicos.

A todo esto, el señor mi amo estaba en el púlpito de rodillas, las manos y los ojos puestos en el cielo, transportado en la divina esencia, que el planto y ruido de voces que en la iglesia había no eran parte para apartarle de su divina contemplación.

Aquellos buenos hombres llegaron a él, y dando voces le despertaron y le suplicaron quisiese socorrer a aquel pobre, que estaba muriendo, y que no mirase a las cosas pasadas ni a sus dichos malos, pues ya de ellos tenía el pago; mas si en

algo podría aprovechar para librarse del peligro
y pasión que padecía, por amor de Dios lo hiciese,
pues ellos veían clara la culpa del culpado y la
verdad y bondad suya, pues a su petición y venganza el Señor no alargó el castigo.

El señor comisario, como quien despierta de un
dulce sueño, los miró y miró al delincuente y a
todos los que alrededor estaban, y muy pausada-
mente les dijo:

—Buenos hombres: vosotros nunca habíades de
rogar por un hombre en quien Dios tan seña-
ladamente se ha señalado; mas, pues Él nos
manda que no volvamos mal por mal y perdone-
mos las injurias, con confianza podremos supli-
carle que cumpla lo que nos manda y Su Majestad perdone a éste, que le ofendió poniendo
en su santa fe obstáculo. Vamos todos a supli-
carte.

Y así, bajó del púlpito y encomendó aquí muy
devotamente suplicasen a Nuestro Señor tuviese
por bien perdonar a aquel pecador y volverle en
su salud y sano juicio y lanzar dél el demonio,
si Su Majestad había permitido que por su gran
pecado en él entrase.

Todos se hincaron de rodillas, y delante del
altar, con los clérigos, comenzaban a cantar con
voz baja una letanía. Y viniendo él con la cruz y
agua bendita, después de haber sobre él canta-
do, el señor mi amo, puestas las manos al cielo y
los ojos que casi nada se le parecía sino un poco

de blanco, comienza una oración no menos larga
que devota, con la cual hizo llorar a toda la gente, como suelen hacer en los sermones de Pasión,
de predicador y auditorio devoto, suplicando a
Nuestro Señor, pues no quería la muerte del pecador, sino su vida y arrepentimiento, que aquel
encaminado por el demonio y persuadido de la
muerte y pecado, le quisiese perdonar y dar vida
y salud, para que se arrepintiese, y confesase sus
pecados.

Y esto hecho, mandó traer la bula y púsosela
en la cabeza. Y luego el pecador del alguacil comenzó, poco a poco, a estar mejor y tornar en sí.
Y desque fue bien vuelto en su acuerdo, echóse a
los pies del señor comisario y demandóle perdón,
y confesó haber dicho aquello por la boca y man-
damiento del demonio, lo uno, por hacer a él
daño y vengarse del enojo; lo otro, y más principal, porque el demonio recibe mucha pena del
bien que allí se hiciera en tomar la bula.

El señor mi amo le perdonó, y fueron hechas
las amistades entre ellos. Y a tomar la bula hubo
tanta prisa, que casi ánima viviente en el lugar
no quedó sin ella: marido y mujer e hijos e hijas,
mozos y mozas.

Divulgóse la nueva de lo acaecido por los lugares comarcanos, y cuando a ellos llegábamos no
era menester sermón ni ir a la iglesia, que a la
posada la venían a tomar, como si fueran peras
que se dieran de balde. De manera que, en diez

o doce lugares de aquellos alrededores donde fuimos, echó el señor mi amo otras tantas mil bulas sin predicar sermón.

Cuando él hizo el ensayo, confieso mi pecado que también fui de ello espantado y creí que así era, como otros muchos; mas con ver después la risa y burla que mi amo y el alguacil llevaban y hacían del negocio, conocí cómo había sido industriado por el industrioso e inventivo de mi amo.

Acaeciónos en otro lugar, el cual no quiero nombrar por su honra, lo siguiente: Y fue que mi amo predicó dos o tres sermones, y do a Dios la bula tomaban. Visto por el astuto de mi amo lo que pasaba, y que aunque decía se fiaban por un año no aprovechaba, y que estaban tan rebeldes en tomarla y que su trabajo era perdido, hizo tocar las campanas para despedirse, y hecho su sermón y despedido desde el púlpito, ya que se quería bajar, llamó al escribano y a mí, que iba cargado con unas alforjas, e hízonos llegar al primer escalón, y tomó al alguacil las que en las manos llevaba, y las que yo tenía en las alforjas púsolas junto a sus pies, y tornóse a poner en el púlpito con cara alegre y a arrojar desde allí, de diez en diez y de veinte en veinte, de sus bulas hacia todas partes, diciendo:

—Hermanos míos: tomad, tomad de las gracias que Dios os envía hasta vuestras casas, y no os duela, pues es obra tan pía la redención de

los cautivos cristianos que están en tierra de
moros. Porque no renieguen nuestra santa fe y
vayan a las penas del infierno, siquiera ayu-
dadles con vuestra limosna y con cinco padre-
nuestros y cinco avemarías para que salgan de
cautiverio. Y aun también aprovechan para los
padres y hermanos y deudos que. tenéis en el
purgatorio, como lo veréis en esta santa bula.

Como el pueblo las vio así arrojar, como cosa
que le daba de balde y ser venida de la mano de
Dios, tomaban a más tomar, aun para los niños
de la cuna y para todos sus difuntos, contando
desde los hijos hasta el menor criado que tenían,
contándolos por los dedos. Vímonos en tanta
priesa, que a mí aína me acabaran de romper un
pobre y viejo sayo que traía, de manera que certi-
fico a vuestra merced que en poco más de una
hora no quedó bula en las alforjas, y fue necesario ir a la posada por más.

Acabados de tomar todos, dijo mi amo desde
el púlpito a su escribano y al del Concejo que se
levantasen: y para que se supiese quiénes eran
los que habían de gozar de la santa bula y para
que él diese buena cuenta a quien le había enviado, se escribiesen.

Y así, luego, todos de muy buena voluntad
decían las que habían tomado, contando por orden los hijos y criados y difuntos.

Hecho su inventario, pidió a los alcaldes que,
por caridad, porque él tenía que hacer en otra

parte, mandasen al escribano le diese autoridad del inventario y memoria de las que allí quedaban, que, según decía el escribano, eran más de dos mil.

Hecho esto, él se despidió con mucha paz y amor, y así nos partimos deste lugar. Y aun, antes que nos partiésemos, fue preguntado él por el teniente cura del lugar y por los regidores si la bula aprovechaba para las criaturas que estaban en el vientre de sus madres.

A lo cual él respondió que, según las letras que él había estudiado, que no. Que lo fuesen a preguntar a los doctores más antiguos que él, y que esto era lo que sentía en este negocio.

Y así nos partimos, yendo todos muy alegres del buen negocio. Decía mi amo al alguacil y escribano:

—¿Qué os parece, cómo a estos villanos, que con sólo decir cristianos viejos somos, sin hacer obras de caridad, se piensan salvar, sin poner nada de su hacienda? Pues, por la vida del licenciado Pascasio Gómez, que a su costa se saquen más de diez cautivos.

Y así nos fuimos hasta otro lugar de aquél, cabo de Toledo, hacia la Mancha, que se dice, adonde topamos otros más obstinados en tomar bulas. Hechas, mi amo y los demás que íbamos, nuestras diligencias, en dos fiestas que allí estuvimos no se habían echado treinta bulas.

Visto por mi amo la gran perdición y la mucha costa que traía, y el ardideza que el sotil de mi amo tuvo para hacer desprender sus bulas fue que este día dijo la misa mayor, y después de acabado el sermón y vuelto al altar, tomó una cruz que traía, de poco más de un palmo, y en un brasero de lumbre que encima del altar había, el cual habían traído para calentarse las manos, porque hacía gran frío, púsole detrás del misal, sin que nadie mirase en ello. Y allí, sin decir nada, puso la cruz encima de la lumbre, y, ya que hubo acabado la misa y echada la bendición tomóla con un pañizuelo, bien envuelta la cruz en la mano derecha y en la otra la bula, y así se bajó hasta la postrera grada del altar adonde hizo que besaba la cruz. E hizo señal que viniesen adorar la cruz. Y así vinieron los alcaldes los primeros y los más ancianos del lugar, viniendo uno a uno, como se usa.

Y el primero que llegó, que era un alcalde viejo, aunque él dio a besar la cruz delicadamente, se abrasó los rostros y se quitó presto afuera. Lo cual visto por mi amo le dijo:

—¡Paso quedo, señor alcalde! ¡Milagro!

Y así hicieron otros siete u ocho. Y a todos les decía:

—¡Paso, señores! ¡Milagro!

Cuando él vio que los rostriquemados bastaban para testigos del milagro, no la quiso dar más a besar. Subióse al pie del altar y de allí decía

cosas maravillosas, diciendo que por la poca caridad que había en ellos había Dios permitido
aquel milagro, y que aquella cruz había de ser
llevada a la santa iglesia mayor de su obispado.
Que por la poca caridad que en el pueblo había
la cruz ardía.

Fue tanta la priesa que hubo en el tomar de la
bula, que no bastaban dos escribanos ni los clérigos ni sacristanes a escribir. Creo de cierto que
se tomaron más de tres mil bulas, como tengo
dicho a vuestra merced.

Después, al partir él, fue con gran reverencia,
como es razón, a tomar la santa cruz, diciendo que
la había de hacer engastonar en oro, como era
razón.

Fue rogado mucho del Concejo y clérigos del
lugar les dejase allí aquella santa cruz, por memoria del milagro allí acaecido. Él en ninguna
manera lo quería hacer, y al fin, rogado de tantos,
se la dejó. Conque le dieron otra cruz vieja que
tenían, antigua, de plata, que podrá pesar dos o
tres libras, según decían.

Y así nos partimos alegres con el buen trueque
y con haber negociado bien. En todo no vio nadie
lo susodicho sino yo. Porque me subía por el altar
para ver si había quedado algo en las ampollas,
para ponerlo en cobro, como otras veces yo lo
tenía de costumbre. Y como allí me vio, púsose el
dedo en la boca, haciéndome señal que callase. Yo
así lo hice, porque me cumplía, aunque después
que vi el milagro no cabía en mí por echarlo fuera.

Sino que el temor de mi astuto amo no me lo dejaba comunicar con nadie, ni nunca de mí salió. Porque me tomó juramento que no descubriese el milagro, y así lo hice hasta agora.

Y, aunque muchacho, cayóme mucho en gracia, y dije entre mí:

"¡Cuántas de estas deben hacer estos burladores entre la inocente gente!"

Finalmente, estuve con este mi quinto amo cerca de cuatro meses, en los cuales pasé también hartas fatigas aunque me daba bien de comer, a costa de los recursos y otros clérigos do iba a predicar.

TRATADO SEXTO

CÓMO LÁZARO SE ASENTÓ CON UN CAPELLÁN
Y LO QUE CON ÉL PASÓ

Después desto asenté con un maestro de pintar panderos, para molerle los colores y también sufrí mil males.

Siendo ya en este tiempo mozuelo, entrando un día en la iglesia mayor, un capellán de ella me recibió por suyo. Y púsome en poder un asno y cuatro cántaros y un azote, y comencé a echar agua por la ciudad. Este fue el primer escalón que yo subí para venir a alcanzar buena vida, porque mi boca era medida. Daba cada día a mi amo treinta maravedís ganados y los sábados ganaba para mí, y todo lo demás entre semana, de treinta maravedís.

Fueme tan bien en el oficio, que al cabo de cuatro años que lo usé, con poner en la ganancia buen recaudo, ahorré para me vestir muy honradamente de la ropa vieja. De la cual compré un jubón de fustán viejo y un sayo raído de manga tranzada y puerta y una capa, que había sido frisada,

y una espada de las viejas primeras de Cuéllar.
Desque me vi en hábito de hombre de bien, dije a
mi amo se tomase su asno **que** no quería más seguir aquel oficio.

TRATADO SÉPTIMO

CÓMO LÁZARO SE ASENTÓ CON UN ALGUACIL
Y DE LO QUE LE ACAECIÓ CON ÉL

Despedido del capellán, asenté por hombre de
justicia con un alguacil. Mas muy poco viví con
él, por parecerme oficio peligroso. Mayormente,
que una noche nos corrieron a mí y a mi amo a
pedradas y a palos unos retraídos. Y a mi amo,
que esperó, trataron mal; mas a mí no me alcanzaron. Con esto renegué del trato.

Y pensando en qué modo de vivir haría mi
asiento, por tener descanso y ganar algo para la
vejez, quiso Dios alumbrarme y ponerme en camino y manera provechosa. Y con favor que tuve
de mis amigos y señores, todos mis trabajos y fatigas hasta entonces pasados fueron pagados con
alcanzar lo que procuré. Que fue un oficio real,
viendo que no hay nadie que medre sino los que
le tienen.

En el cual el día de hoy vivo y resido a servicio
de Dios y de vuestra merced. Y es que tengo
cargo de pregonar los vinos que en esta ciudad se
venden, y en almonedas y cosas perdidas, acom-

pañar a los que padecen persecuciones por justicia y declarar a voces sus delitos: pregonero, hablando en buen romance.

En el cual oficio un día que ahorcábamos un
apañador en Toledo, y llevaba una buena soga
de esparto, conocí y caí en la cuenta de la sentencia que aquel mi ciego amo había dicho en Escalona, y me arrepentí del mal pago que le di, por
lo mucho que me enseñó. Que, después de Dios
él me dio industria para llegar al estado que agora
estoy.

Hame sucedido tan bien, yo le he usado tan
fácilmente, que casi todas las cosas que al oficio
tocantes pasan por mi mano. Tanto, que en toda la
ciudad, el que ha de echar vino a vender, o algo,
si Lázaro de Tormes no entiende en ello, hacen
cuenta de no sacar provecho.

En este tiempo, viendo mi habilidad y buen
vivir, teniendo noticia de mi persona el señor arcipreste de San Salvador, mi señor y servidor, y
amigo de vuestra merced, porque le pregonaba
sus vinos, procuró casarme con una criada suya.
Y visto por mí que de tal persona no podía venir
sino bien y favor, acordé de lo hacer. Y así, me
casé con ella y hasta agora no estoy arrepentido.

Porque, allende de ser buena hija y diligente
servicial, tengo en mi señor arcipreste todo favor
y ayuda. Y siempre en el año le da en veces al
pie de una carga de trigo; por las Pascuas, su
carne, y cuando el par de los bodigos, las calzas

viejas que deja. E hízonos alquilar una casilla
par de la suya. Los domingos y fiestas casi todas
las comíamos en su casa.

Mas malas lenguas, que nunca faltaron ni fal-
tarán, no nos dejan vivir, diciendo no sé qué, y sí
sé qué, de que ven a mi mujer irle a hacer la cama
y guisalle de comer. Y mejor les ayude Dios que
ellos dicen la verdad.

Aunque en este tiempo siempre he tenido alguna sospechuela y habido algunas malas cenas
por esperarla algunas noches hasta las laudes, y
aun más, se me ha venido a la memoria lo que mi
amo el ciego dijo en Escalona estando asido del
cuerno. Aunque, de verdad, siempre pienso que el
diablo me lo trae a la memoria por hacerme mal-
casado, y no le aprovecha.

Porque, allende de no ser ella mujer que se
pague destas bulas, mi señor me ha prometido lo
que pienso cumplirá. Que él me habló un día muy
largo delante de ella y me dijo:

—Lázaro de Tormes: quien ha de mirar a dichos de malas lenguas nunca medrará. Digo esto
porque no me maravillaría alguno, viendo entrar
en mi casa a tu mujer y salir de ella... Ella entra
muy a tu honra y suya. Y esto te lo prometo. Por
tanto, no mires a lo que pueden decir, sino a lo
que te toca, digo a tu provecho.

—Señor —le dije—: yo determiné de arrimar-
me a los buenos. Verdad es que algunos de mis
amigos me han dicho algo deso, y aun por más de

tres veces me han certificado que antes que conmigo casase había parido tres veces, hablando con reverencia de vuestra merced, porque está ella delante.

Entonces mi mujer echó juramento sobre sí, que yo pensé la casa se hundiera con nosotros. Y después tomóse a llorar y a echar maldiciones sobre quien conmigo la había casado. En tal manera, que quisiera ser muerto antes que se me hubiera soltado aquella palabra de mi boca. Mas yo de un cabo y mi señor de otro, tanto le dijimos y otorgamos, que cesó su llanto con juramentos que le hice de nunca más en vida mentarle nada de aquello, y que yo holgaba y había por bien de que ella entrase y saliese de noche y de día, pues estaba bien seguro de su bondad. Y así quedamos todos tres bien conformes.

Hasta el día de hoy nunca nadie nos oyó sobre el caso; antes, cuando alguno siento que quiere decir algo della, le atajo y le digo:

—Mirá; si sois amigo, no me digáis cosa con que me pese, que no tengo por mi amigo al que me hace pesar. Mayormente, si me quieren meter mal con mi mujer. Que es la cosa del mundo que yo más quiero y la amo más que a mí. Y me hace Dios con ella mil mercedes y más bien que yo merezco. Que yo juraré sobre la hostia consagrada que es tan buena mujer como vive dentro de las puertas de Toledo. Quien otra cosa me dijere, yo me mataré con él.

Desta manera no me dicen nada, y yo tengo paz en mi casa.

Esto fue el mismo año que nuestro victorioso emperador en esta insigne ciudad de Toledo entró y tuvo en ella Cortes, y se hicieron grandes regocijos, como vuestra merced habrá oído. Pues en este tiempo estaba en mi prosperidad y en la cumbre de toda buena fortuna.

De lo que aquí adelante me sucediere avisaré a vuestra merced.

ÍNDICE DE AUTORES DE LA COLECCIÓN AUSTRAL

De los 1421 Primeros Volúmenes

COLECCIÓN AUSTRAL

* Volumen extra.